L'ARBRE FOUDROYÉ

ou

Les aubes douces-amères

MANON HUBERT

L'ARBRE FOUDROYÉ

ou

Les aubes douces-amères

ROMAN

ÉDITION D'ART LA SAUVAGINE

Québec

ISBN 2-88194-032-3

« Presque tous les écrivains commencent par écrire des poèmes. Ce qui est très naturel, parce qu'on est soutenu aussi bien que contraint par le rythme. Il y a un élément de redites, qui rend les choses plus faciles. la prose, c'est un Océan dans lequel on pourrait très vite se noyer. »

« Oui, le contact étroit avec le réel est quelque chose qui me paraît absolument essentiel, presque mystiquement essentiel. En un sens, presque physiologique, la vérité, pour autant que nous pouvons l'approcher, dépend du fait que nous sommes restés fidèles à la réalité, comme Nietzsche parlait de rester fidèle à la terre. »

« Le jour où nous sortons de certaines réalités très simples, nous fabulons, nous tombons dans la rhétorique ou dans l'intellectualisme mort... »

Marguerite Yourcenar « Les yeux ouverts »
(Entretiens avec Matthieu Galey)

A maman-patience, maman-tristesse parfois,
maman-bonheur toujours,
maman-sécurité, maman-notre-ancre,
qui resta au port malgré tant de tempêtes, en se blessant
les flancs et le cœur contre les rochers du rivage...

Tu étais ces rochers. Il le fallait bien pour tenir.
Tu étais devenu comme le granit de tes montagnes
qui défient le temps, toi papa....

PREMIÈRE PARTIE

Des rêves de l'enfance à la réalité

CHAPITRE 1

RETOUR A L'ENFANCE

Extrême-onction... Allumez les bougies... Tout est fini !

Du plus profond de ma léthargie comateuse, je les entends. C'est horrible ! Il faut arriver à me manifester. Mon corps est lourd comme un bloc de granit et la douleur est intolérable. Voilà des heures que, tel un noyé, je plonge et refais surface, respire et sombre à nouveau. Je sais tout de même que cette extrême-onction va être la troisième aujourd'hui. Je veux que celle-ci soit la cause d'une résurrection. D'après les voix entendues par bribes durant mes émergences, le personnel a changé au moins trois fois durant la journée. Ainsi donc, par manque de coordination, je vais pour la troisième fois être administré. Mais j'ai dû mal entendre, ce n'est pas possible, ils ne vont pas m'enterrer vivant ! Ils doivent tout de même s'en rendre compte ! L'affreuse et lancinante douleur me laboure le corps et fait vaciller ma raison. Par moment je flotte, entouré d'une sorte de brume ouateuse qui me protège. Soudain, la brume disparaît et je suis violemment replongé au cœur de cet enfer.

Jamais je n'aurais imaginé qu'il fût possible de supporter une telle intensité de souffrance. Les pas autour de mon lit, résonnent dans ma tête comme dans une cathédrale. Par instant, les bruits s'estompent, couverts par un brouillard épais, puis les voix me reviennent transperçantes.

Je n'en puis plus! Mourir plutôt! Je ne sais plus où j'en suis. Non, à aucun prix je ne dois mourir, je ne suis pas seul, j'ai un devoir face à la vie, un devoir immense. Ce que je ressens ne doit pas être le seuil d'un gouffre, mais un tremplin me permettant de faire un saut long et profond dans une nouvelle vie. Car la vie ne doit pas connaître l'immobilité.

Mais pourquoi ces mains crochues qui m'écartèlent, ces doigts qui me brûlent en me parcourant?

Je dois résister à cette envie de dormir, de retomber dans le néant. Combien d'heures ai-je passé dans ce profond coma?

J'ai eu le temps de revivre tous mes souvenirs depuis mon enfance...

Je suis devenu tout petit.

D'énormes montagnes surplombent mon pays. Les imposantes masses grises protègent de leurs remparts les villages posés comme des jouets sur leurs flancs.

Le caractère des gens est aussi dur, aussi fier, aussi solide que ces rochers. En regardant vivre ces habitants, il est impossible de se situer dans le temps. Il n'est pas rare de percevoir le bruit d'un rouet ou d'un batteur de seigle, extrayant avec son fléau le bon grain, inlassablement, régulièrement, marquant le temps qui passe. Des femmes aux fichus noirs fauchent et ratissent des prés en pente raide. Elles conservent impassiblement un équilibre pourtant si ténu. Des enfants se poursuivent dans les sentiers et cueillent au pied des vieux murs l'aubépine rebrodée de givre.

Les journées de labeur commencent à l'aube. Il faut une somme infinie de patience et de persévérance pour obtenir de cette terre avare qu'elle fasse vivre son petit monde tout au long de l'année. Le tissage, le seigle, le bétail, quelques champs de blé, un peu de bois suffisent à son bonheur. Cela manque parfois de vie pour les galopins de quatre ou cinq ans. Aussi, on invente mille farces pour se distraire. Le temps sérieux viendra bien assez tôt, apportant son comptant de soucis et de rides.

J'ai quatre ans à peine lorsque je commence à défrayer la chronique villageoise bien malgré moi...

Un de mes petits camarades de jeux, de famille très aisée, possédant quelques parchets de vignes en plaine, m'invite à venir jouer chez lui en l'absence de ses parents. Et nous voilà dégustateurs! Quelques heures plus tard, notre état est piteux. Nous nous traînons hors de la cave et essayons de rentrer chez nous. Le petit Gratien parvient jusqu'au seuil de sa maison et s'effondre ivre-mort. Moi, plus résistant, je retrouve ma rue et me soulage sur le tas de fumier près de la maison. Je suis malade à rendre l'âme! J'entre chez ma mère en titubant et lui dis mon irrésistible envie de dormir.

Maman Pauline comprend l'inutilité d'une semonce immédiate. Elle me fait boire un café salé, qui me remet rapidement les idées en place. Je gémis tant mon ventre me fait mal et ma tête résonne de mille sonnailles.

— Où donc as-tu été?

— Chez Gratien, y m'a invité à déguster, mais je veux dormir, j'ai tellement mal à la tête!

Maman ne discute plus. Sa décision est prise. Elle me couche en hâte. D'un pas vif et décidé elle se rend chez Rosine, la mère de Gratien.

Rosine la voyant arriver de loin, comprend aussitôt que son garnement a passé l'après-midi en ma compagnie. Elle attaque de front:

15

— Alors, Pauline, ton sacripan est aussi malade? N'es-tu pas folle pour les laisser se saoûler ainsi?

— J'allais te demander la même chose, car c'est bien chez toi que c'est arrivé?

— Non, c'est pas possible, Gratien est trop bien élevé et il ne sait même pas où est la clef de la cave! Je suis sûre que les gosses se sont amusés chez toi!

— Et moi, je vais te donner la preuve du contraire. Sais-tu ce qu'il a vomi mon gamin? du vin rouge, et chez nous, il n'y a qu'un seul tonneau de blanc... Alors?

— Alors, alors ce n'est pas possible! D'abord, on va bien voir

Rosine grimpe sur un escabeau pour prendre la clef derrière le vieux buffet et... rien!

L'air triomphant de Pauline si fière, lui fait bien plus mal que l'idée d'avoir un petit « bandit » pour fils.

— Allons voir à la cave!

Les deux femmes énervées descendent l'escalier de pierre. Rosine pâlit en voyant par la porte entrebaillée la bougie achevant de se consumer sur un tonneau. Le timide glou-glou de celui-ci montre bien que les enfants ont oublié de refermer le guillon et que sa fin est proche. Elles ne parviennent même pas à entrer dans la cave, et restent sur la dernière marche, ahuries. Tels de petits bateaux, les trabezets (tabourets) voguent au fil de l'onde rouge.

En quelques secondes, elles évaluent l'étendue des dégâts. Des centaines de litres perdus! Comment l'annoncer à leurs maris et surtout, qui allait faire les frais de la farce?

C'est la guerre déclarée entre les deux femmes, Pauline la fière, aux modestes ressources, et Rosine l'orgueilleuse, aux innombrables biens.

16

A quelque temps de là, Rosine trouve sa revanche. Le cimetière du village est séparé de l'église par un impétueux torrent et beaucoup de légendes courent à son sujet. Il est craint de tous, sauf naturellement, de quelques gosses téméraires. Le vieux pont qui le traverse est fait de poutres et de planches irrégulières sur les bords extérieurs et de longueurs diverses. Le jeu favori des garnements du village consiste à se mettre à l'extérieur de la barrière, sur la première planche, et à sauter, sans l'aide des mains, de l'une à l'autre, en évitant les trous. Les anges gardiens ne devaient pas chômer dans la région. Jamais bambin aussi petit que moi n'avait tenté l'expérience. Lors d'un de mes exploits, je me sens soulevé au collet par une main ferme et me retrouve au milieu du pont. Deux gifles sonores couvrent le bruit assourdissant du torrent. Et me voilà tiré, traîné, vers la maison de mes parents. Rosine me tient vigoureusement et ne mâche pas ses mots à Pauline:

— C'est-y Dieu possible de laisser son gamin essayer de se tuer! Tu pourrais pas le surveiller ou lui donner du travail? Il est assez grand maintenant pour garder les bêtes. Pendant ce temps, il ne serait pas occupé à faire des bêtises. C'est un vrai vaurien!

Ma mère rageusement me récupère, les dents serrées et s'enferme avec moi à l'intérieur. Un nouveau compte se règle ce soir-là avec maman Pauline.

Dès le lendemain, je suis envoyé aux champs, où, sous la surveillance d'un plus grand, je m'initie à mon nouveau travail. Au bout d'une semaine, je connais tous les recoins où je peux laisser gambader mes bêtes, je sais où se trouve la limite des terres de mes parents, quel coin de forêt leur appartient. Mais le temps paraît si long quand on a cinq ans, une petite musette avec un casse-croûte et toute une longue journée devant soi!

Il me faut un certain temps pour inventer quelque chose qui me rende la vie plus intéressante. Chaque fois que mon attention est captivée par une leçon de choses, des taupes ou des fourmis, il faut courir après une vache aux instincts de liberté trop développés. Quand je reviens, les fourmis ne m'ont pas attendu et les taupes fabriquent déjà de nouvelles verrues brunes dans les prés.

Avec quelques camarades, je mets au point un plan de bataille. Au fond du dernier pré, juste avant le ravin de la Dranse, un décrochement de terrain un peu en contrebas forme un merveilleux parc naturel de quatre à cinq mètres de large et environ cinquante mètres de long. Seulement, ce contrebas ressemble à un escalier rocheux d'un mètre de haut. Comment faire descendre, mais surtout remonter les vaches?

L'herbe se fait rare sur les pâturages familiaux, mais plus bas, le duvet tendre à souhait redonnerait sûrement bonne mine à mes bêtes. L'un de nous, fils d'épicier, a une idée de génie, il fournira du sel. Arrive le jour de la répétition générale. Evidemment, comme prévu, les vaches ne veulent pas sauter cet escalier. Nous les poussons de toutes nos forces, sans obtenir de résultat. En désespoir de cause, l'un de nous jette sur le petit plateau inférieur, une grosse poignée de sel. Alors, d'elles-mêmes, les braves bêtes sautent, manquant se casser les jambes, mais se rétablissent finalement. La première d'une longue série de journées de liberté commence.

Nous déployons chaque jour des trésors d'imagination et inventons une foule de jeux nouveaux, tous plus passionnants les uns que les autres. Mais tout de même,

18

ne sachant plus comment ramener les bêtes à hauteur du champ, la panique nous saisit le premier soir. Après une demi-heure d'efforts, la première remonte enfin, au prix de plusieurs poignées de sel passées et repassées sous le nez. Ce petit jeu dure des semaines et nos parents s'émerveillent de la meilleure qualité du lait et de notre air angélique. Aucun ne soupçonne la résistance des vaches, aucun ne suppose que chaque jour elles risquent de se casser les jambes. Toujours très conscients de notre sens de l'honneur, nul d'entre nous ne vendit jamais la mèche.

Je mesure déjà les cheveux blancs de maman Pauline et cela me laisse songeur. Je sais être doux et serviable. Bientôt commencera l'école et je suis bien décidé à leur montrer à tous de quoi je suis capable. Mon « plus tard » à moi, est auréolé de rêves. J'aimerais, comme l'instituteur, apprendre des choses savantes aux petits enfants. Mais mes parents m'ont décrit tout ce que les études comportent de sacrifices, tant de la part des parents que de la part des enfants. Je viens d'apprendre aussi que mon père devra s'aliter de plus en plus souvent, car son rhumatisme gagne du terrain. Je comprends dès lors, que mes beaux projets sont irréalisables. Ma sœur, Léonie, de deux ans ma cadette, est trop jeune pour comprendre et aider. Et on me l'a dit, les filles de toute façon peuvent aider, mais pas reprendre une exploitation agricole.

Pourtant, l'envie de me distraire est encore la plus forte. Nous sommes maintenant dans la longue guerre. Les badauds du village, le nez levé, regardent fixement le clocher de style roman de la vieille église. En observant bien, ils retiennent leur souffle. Je suis un petit point minuscule se déplaçant doucement sur le dernier relief extérieur du sommet.

Dans la rue quelqu'un appelle:

— Pauline! Pauline!

Au rez-de-chaussée d'une maison, une belle enseigne très vieille signale une pension de famille. Au premier, apparaît derrière les carreaux une femme sans âge.

— Pauline! Comment est habillé Marcel?

— Pourquoi? Encore une histoire de garnement!

Il a des bottillons noirs et un tablier de serge bleue, avec des pantalons marine jusqu'aux genoux.

— Tû...Tû...là-haut!

Pauline chausse ses lunettes rondes et lève le nez.

— C'est-y Dieu possible! Mon sale gosse, là-haut!

— Surtout n'appelle pas, Pauline, il pourrait tomber. Monsieur le curé est monté au clocher, mais tu sais, il faut du temps pour escalader les marches, il n'est plus tout jeune!

J'avance lentement et contourne la face sud. Le tour est bientôt fini. Les gens murmurent et les commentaires vont bon train. Un groupe de gamins s'esclaffe, indifférent devant la panique générale.

Pauline interpelle l'un d'eux:

— Augustin, t'es-t-y au courant de ce qui se passe?

— Oui, on a fait un pari avec Marcel. Il doit faire trois tours et il aura trois sous! Il en est au deuxième.

— Sacripans, ça vous ressemble. Et mon petit voyou vous obéit, bande de chenapans!

— C'est pas nous, madame, c'est lui qui a voulu.

Pauline se met la tête dans les mains.

— Sainte Vierge, faites que mon «affreux» redescende sain et sauf, il va m'entendre! Il ne pourra plus s'asseoir pendant une semaine, je vous le promets.

Là-haut, Monsieur le curé, rouge, essoufflé, parvient au bout de son ascension.

— Marcel...Ecoute. (Le souffle lui manque...)

— Chut! Monsieur le curé, fallait pas monter jusqu'ici, je vais bientôt redescendre. Plus qu'un tour et je viens.

— Non, Marcel, je te défends, viens tout de suite là, je te donne la main, prends-la!

— Oh non, Monsieur le curé, jamais. J'ai promis sur l'honneur, et l'honneur, c'est sacré! Chut! Faut pas me gronder, je pourrais tomber et ce serait de votre faute.

Dépité, furieux, le vieux curé tombe à genoux et prie, impuissant. Sur la place de l'église, quelqu'un a commencé le rosaire et tout le monde répond.

Moi, je ne perds pas le nord.

— Monsieur le curé, allez dire à maman que je redescends seulement si elle promet de ne pas me fesser.

— Qu'est-ce que tu dis? Sale gamin, comment tu peux!

— Chut! Ne me grondez pas. Je dois garder tous mes moyens. Allez vite demander à maman.

Le pauvre curé prend ses jambes à son cou et redescend aussi vite que possible. Il court vers la pension.

— Pauline, écoute, le petit m'envoie te dire qu'il redescend seulement si tu promets de ne pas le fesser.

— Ce n'est pas possible! Voyez-vous ce culot! Non mais vous vous rendez compte?

— On causera après, Pauline, maintenant promets!

— Vous voulez pas quand même...

— Si, justement, dépêche-toi, si le petit tombait, tu te le reprocherais.

21

— Bon, allez-y vite, dites-lui que c'est d'accord, mais... je trouverai autre chose.

Et le pauvre curé, avec le peu de force qui lui reste, s'élance. Il est tout rouge et congestionné en arrivant au sommet.

J'en suis à mon troisième tour. Les quelques minutes écoulées paraissent avoir duré une éternité au pauvre prêtre.

— Voilà, Marcel, ta mère est d'accord, viens maintenant!

— Encore un quart de tour et je suis bon.

— C'est-y possible. Sale gosse!

Il se cache les yeux et prie à voix haute. Une nouvelle éternité passe. Il revient sur terre quand je saute à l'intérieur et lui retombe sur les pieds.

— Ouille! Garnement! Tu vas voir.

Et le curé m'empoigne par le col du tablier.

— Oh non! Monsieur le curé, et votre honneur? Vous m'avez promis que je n'aurais pas de correction.

— C'est vrai! (il pâlit et me lâche) File chez ta maman.

— Au revoir, à bientôt, Monsieur le curé.

Et je dévale les marches à toute vitesse. J'arrive triomphant au milieu de la place.

Des gens furieux m'attrapent, me tirent les oreilles, les cheveux. Je crie et proteste en me débattant.

— C'est pas juste! Laissez-moi!

Je parviens finalement à me faufiler jusque devant chez moi. Je suis parcouru d'un frisson en voyant les yeux foudroyants de maman. Elle me conduit sans un mot dans une chambre. Je ne comprends pas. Que va-t-il se passer? Je n'aime pas quand maman se tait...

Sur le grand lit... des robes... Pourquoi faire?

— Sais-tu ce que c'est?

— Des robes, pourquoi?

— Tu vas comprendre, pourquoi. Tu te souviens que jusqu'à l'âge de cinq ans tu en as porté comme tous les petits garçons?... Eh bien, pour ta punition, tu vas de nouveau en porter. Et tu iras dans la rue, devant la porte que je fermerai à clef trois jours durant. Je ne t'ouvrirai qu'à la nuit tombante. Comme ça, tout le monde pourra voir Marcel porter des robes à six ans et demi!

— Oh non, pas ça! Je préfère que tu me battes, mais pas ça...

— Oui, parfaitement, car tu m'as fait promettre de ne pas te toucher, je tiens mes promesses, moi! Maintenant va te coucher jusqu'à demain, sans souper, ouste!

Je m'en vais rageur, de grosses larmes coulent sur mes joues. Quelle honte! Et ceux qui me doivent trois sous vont se moquer de moi. Tout le monde me verra. Etre en robe pendant trois jours et pour trois sous. Je comprends les jours suivants combien les grandes personnes peuvent être cruelles. Je me blottis contre la porte d'entrée. J'aimerais me fondre en elle. J'en ai mal au dos. Je griffe le bois avec mes petits ongles. J'y mets tant de force que je les casse.

Ah, comme j'aimerais être cette petite souris galopant au pied de l'église! Elle distrait un moment mon attention. Mais je reviens vite à la réalité.

Les grandes personnes sont trop bêtes! Elles ne comprennent rien à nos problèmes d'honneur. Elles nous humilient parce qu'on est plus petit!

Trois jours entiers, je connus les affres de la honte. Même les mulets tirant sur leurs charrettes, semblent

23

retrousser leur museau comme pour me narguer. Je leur tire la langue. Dire que pendant ce temps, mes petits copains servent la messe à ma place et reçoivent la pièce tant convoitée par chaque enfant de chœur.

Je viens de trouver un remède à ma colère froide. Monsieur le curé a horreur des gouttes d'eau rituelles qu'il doit ajouter à son vin de messe! Il a depuis longtemps orienté les enfants de chœur chargés de compléter ou remplir les carafes lors des préparations. Nous ne devons en aucun cas dépasser trois gouttes d'eau... lorsque nous versons dans le calice.

Il est passablement dur d'oreille. Il exige que nous agitions longtemps la lourde clochette de l'élévation. Demain ce sera encore aux autres de servir la messe. On va bien voir.

Très doucement, avant les autres, je me glisse tôt le matin dans la sacristie, par la petite porte qui donne devant la pension. Maman Pauline se sent toute rassurée en me voyant aller si tôt à l'église.

L'assistance est très nombreuse comme tous les matins. Entre le gouvernage des bêtes et les travaux des champs, nombreux sont ceux qui se rendent à l'office, surtout qu'avec cette guerre — comme ils disent — on ne sait jamais.

Je n'ai jamais été aussi attentif à mon premier banc. Les curieux de l'autre jour pensent que je suis un bon gamin quand même.

Au moment de l'offertoire, je regarde anxieux Augustin verser le vin et l'eau dans le calice. Le prêtre l'élève, et Augustin agite frénétiquement la sonnette qui reste muette. Je me retourne discrètement et m'amuse de la tête des gens effarés qui se mettent à genoux en hésitant. Ce matin, en catimini, j'ai décroché les quatre battants des clochettes et les ai immergés dans le bénitier. J'ai aussi rempli les deux petites « burettes » avec de l'eau. Commençant de boire dans le calice, le curé manque de s'étouffer en avalant l'eau de source trop fade. Je me mords les joues pour ne pas éclater de rire.

Les années ont passé et je me suis sensiblement assagi. Je rends fréquemment service aux chanoines du Grand-Saint-Bernard. On me réclame de plus en plus souvent pour accompagner les transports de marchandises depuis Orsières jusqu'à l'hospice et même parfois des touristes pédestres. Cela me permet d'apporter une aide substantielle à mes parents. Mon père, de plus en plus malade, ne peut plus subvenir à nos besoins.

La famille s'est agrandie d'un garçon lorsque j'eus onze ans. Bientôt mon petit frère, Jean-Marie, prendra la relève pour s'occuper des bêtes, ce qui me laissera plus de liberté pour accomplir des activités lucratives. Mais à quinze ans, que peut-on envisager pour gagner de l'argent ? Après la journée d'école, je m'engage chez des voisins pour de l'ouvrage à l'heure, et, jusque tard dans la soirée, après avoir terminé chez nous, je peine pour quelques francs, je coupe du bois ou retourne des champs, ramasse des pommes de terre ou m'occupe du bétail. Durant les vacances aussi, je m'engage pour divers travaux, soit chez les chanoines, soit à la commune, où je m'initie très tôt à la coupe des troncs d'arbres.

Les nuits me recueillent tellement épuisé, fourbu, mon corps me fait si mal, mes muscles sont si tendus, que rien ne peut me tenir éveillé un instant. Ni les étoiles attirantes et présentes, ni le profil sombre et torturé des grands arbres, ni l'espoir d'un lendemain moins tourmenté, de jours plus sereins, plus doux peut-être? Je n'ai plus la force de me demander de quoi sera fait demain! Je sombre chaque nuit dans un abrutissant sommeil, lourd et pesant comme nos soucis. Bientôt ma période scolaire prendra fin, je disposerai de plus de temps pour les autres.

L'été de mes seize ans, je décide de postuler comme gardien responsable d'alpage pour une période de six mois. Les responsables de la commune hésitent à me confier cette charge vu mon âge. Mais chacun connaît le mérite de ma mère et apprécie mes efforts. La rétribution pour la garde de l'alpage est intéressante. Inquiet à l'idée que ma candidature puisse être rejetée, je me ronge d'impatience.

Mais la nouvelle arrive, je rayonne, le soir, en tendant à maman Pauline trois gros billets de cent francs. Elle est émue aux larmes. Son gamin arrivant avec de gros billets si rarement palpés.

— Je viens de m'engager pour l'alpage et voici la moitié de ma paie pour six mois. Le reste, je le recevrai au retour.

— Es-tu sûr de pouvoir supporter cette vie dure et solitaire?

— Tout ira bien. J'ai déjà appris aux dernières vacances comment fabriquer le fromage et un fromager restera trois semaines avec moi pour terminer mon apprentissage. Ensuite, j'aurai un aide de mon âge, mais je suis nommé responsable.

— Je te félicite, mon garçon, merci!

Pour fêter l'événement, maman me sert alors une de ces spécialités du pays.

Du pain de seigle coupé à la hache, dormant sur un lit d'oignons grillés au saindoux, une couche de vieux fromage cironné, une seconde couche de pain, et par-dessus, on verse un bouillon bien corsé.

Je ferme les yeux, humant, ravi, l'odeur mélangée de pain rassi, d'oignons grillés et de bouillon, formant avec le fromage un ensemble fort, un peu acide, mais tellement parfumé!

Depuis longtemps, je n'ai plus apprécié autant ce bien-être simple. Je contemple avec une tendresse inhabituelle ma mère encore jeune, mais si marquée, si vieillie par les tourments, que tout à coup j'en ai mal.

Ce visage buriné, sillonné de rides profondes, ces cernes noirs et larges sous les yeux las, pourtant si beaux, ce pli amer au coin des lèvres serrées, la peau tannée par le soleil, le froid et le vent, c'est presque un visage de vieille femme, de combattante. Ces cheveux gris tirés en un chignon sévère, striés de fils blancs, qui accentue sa rigidité. J'essaie de l'imaginer avec les cheveux défaits, tombant en lourdes vagues cendrées sur ses épaules, le visage détendu et souriant, habillée comme cette femme de rêve entrevue un jour sur un journal au café.

A quoi servent toutes ces privations, cette vie dure, parfois inhumaine, si triste? Ne faut-il pas bousculer quelque chose, chercher à rompre cette monotonie? Si je me marie un jour, vais-je offrir à ma femme cette vie de sacrifice, de constantes privations? non, jamais! Je veux autre chose, mais que faire? D'abord étudier, mais avec quel argent?

Je regarde à nouveau ma mère, debout devant le fourneau. Elle brasse de grandes quantités de nourriture pour la pension. Elle est habillée de noir, toujours de noir. Comme son image est marquée de cette résignation empreinte de violence, presque de révolte

27

secrète! Intérieurement je m'insurge. Demain, je parlerai au chanoine, je veux trouver une solution.

— Tu sais Marcel, cet hiver, il te faudra trouver du travail ici, car j'aurai davantage besoin de toi. J'ai décidé de prendre plus de pensionnaires, car les soins à ton père deviennent chers. Tu t'installeras avec ta sœur et ton frère, je louerai aussi ta chambre.

— Bien mère, ne t'inquiète pas.

— J'ai entendu dire qu'il y aura beaucoup d'ouvriers italiens qui stationneront ici, à cause de l'agrandissement de la route du Grand-Saint-Bernard, et ils sont en train d'ouvrir une nouvelle carrière de dalles.

— Peut-être que je pourrais...

— Non, Marcel, ne me parle pas de carrière pour toi. Ton oncle et ton grand-père y ont travaillé. Ton grand-père est mort de la silicose et ton oncle a pris le mal. Il doit cesser son travail et ne se remettra jamais, au contraire.

— Si je pouvais choisir, je serais instituteur, mais je sais trop bien...

— Te rends-tu compte? Il faut beaucoup d'argent pour étudier. Et tu ne nous rapporterais plus rien. Ça, passe encore, on se débrouillerait. Ta sœur peut commencer à m'aider à la pension et le petit s'occupe déjà des bêtes. Mais tout l'argent qu'il faudrait trouver pour les études, le trousseau, non, tu sais bien! C'est une folie, n'y pense plus!

— Je sais mère. Mais je trouve injuste que les études ne soient possibles qu'aux riches. Qu'as-tu de plus, toi, mère, tu te crèves depuis ta jeunesse! Tu n'as jamais eu un moment pour penser à toi.

— Et ça me servirait à quoi? On est heureux, vous n'avez pas faim, on n'a pas de dettes, c'est très important!

— Peut-être, mais il y a des fois où je me demande si le Bon Dieu ne garde pas les yeux fermés sur certaines choses.

— Arrête, tu vas pas te mettre à blasphémer. Ne mêle donc pas le Bon Dieu à tout ça! L'injustice, c'est l'argent des hommes qui l'a créée.

— Quand même, je pense qu'il doit y avoir quelque chose à changer.

— Ne dis pas de bêtises, tu n'es encore qu'un gamin.

Le gamin réfléchit.

Comme si j'en prenais soudain conscience, je fais, du regard, l'inventaire de la grande cuisine... Le fourneau en pierres olaires, le four à pain, avec, à son côté, comme une sentinelle, la longue palette de bois pour y introduire les miches, la table de noyer aux gros pieds, sur laquelle ma mère pétrit maintenant la farine grise. Je regarde ses mains vigoureuses, boursoufflées de pâte, s'ouvrir et se fermer sur cette masse molle, la retourner, la frapper, la pétrir encore, lui donner des formes arrondies, puis saisir le couteau et religieusement, graver une croix sur chaque miche. Je continue mon tour d'observation, passe aux fourneaux imposants, aux casseroles de cuivre qu'un rayon de soleil anime, aux bûches soigneusement entassées, aux petits pots d'épices sur les étagères habillées de tissu à carreaux, aux saucissons et aux jambons suspendus entre les poutres et qui répandent une étonnante odeur de fumé, à l'armoire immense, emplie de confitures et de conserves aux goûts sauvages de fraises des bois, de framboises, de genièvre et de chanterelles.

A cet instant, j'ai la certitude que jamais je n'oublierai la merveilleuse cuisine. Il me suffira de fermer les yeux, où que je sois, à n'importe quel moment de ma vie, pour m'y retrouver, pour y respirer cette même odeur âpre et délicieuse de fumé.

Oui, notre vie simple respire une réelle beauté, mais trop dure, trop avare de douceur. J'observe une fois encore ma mère et fais un serment silencieux. «Je t'admire et te respecte infiniment, mais je promets à mes futurs enfants, que leur mère n'aura pas la vie ingrate que tu as.»

Je me lève en souriant et l'embrasse hâtivement, mais avec une sorte de violence mêlée de tendresse. Comme les sentiments ne sont pas de mise dans la famille, maman s'inquiète.

— Tu es malade, Marcel? Voilà bientôt une heure que tu as l'air absent, et tout à coup, tu m'embrasses. Tu as l'air tout drôle...

— J'ai peut-être bien un peu la fièvre, mais ce n'est pas grave.

Je sors en courant, et entre la maison et le mazot, quelque chose résonne dans la petite cour, quelque chose comme: «La fièvre de l'ambition et de la révolte».

— Mon petit est bizarre!

Maman Pauline hausse les épaules et retourne à sa tâche.

CHAPITRE 2

APPRIVOISEMENT DE LA SOLITUDE

Sur la place du village, dans le jour déclinant, les gens rentrent de leur labeur. Les chanoines de corvée hebdomadaire rassemblent leur matériel pour reprendre le chemin de l'hospice. Les enfants s'ébattent et chahutent, avant le repas du soir. Quelques femmes ramassent encore leurs affaires autour du lavoir communal, et repartent, la main appuyée sur la hanche, chargées de lourds fardeaux, en équilibre sur leurs épaules et leurs coudes.

J'avise un des chanoines et lui demande une entrevue. Celui-ci me prend à l'écart.

— Que se passe-t-il Marcel?

— Ecoutez, Monsieur le chanoine. Je me suis engagé cet été pour l'alpage et j'aimerais, si c'est possible, emmener des livres pour étudier. Je voudrais devenir instituteur, mais je sais que je dois abandonner ce rêve. Malgré tout, par curiosité, j'aimerais étudier le programme prévu pour les examens. Serait-il possible de me procurer les livres nécessaires? Seulement je suis ennuyé, car je ne puis les acheter. Si vous pouviez me les prêter, je vous promets d'en prendre le plus grand soin. Je voudrais voir de quoi je suis capable.

— Tu m'étonnes, Marcel, je n'aurais pas pensé, il y a quelques années, que tu puisses devenir aussi studieux. Tu as pourtant l'air sérieux et je ferai le nécessaire. Si

31

les livres font défaut à l'hospice, je les trouverai sûrement à Martigny, à la maison-mère. Je peux même te promettre des cahiers que j'obtiendrai gratuitement. Tu es content?

— Merci Monsieur le chanoine! Quand pensez-vous?

— Quelle impatience! Demain, un de nos chanoines doit se rendre à Martigny. Je lui donnerai la commission. Il rentre dans trois jours.

— Mon départ est prévu dans une bonne semaine...

— Dans cinq jours, quand je reviendrai ici, je te les apporterai. Sois ici à la même heure, sur la place.

— D'accord! Merci, Monsieur le chanoine, et à bientôt.

Rassuré et content, je me donne complètement à mes occupations. Je ne vois pas passer ces cinq jours. Maman Pauline ne cache pas son mécontentement. Elle n'aime pas que ses enfants quémandent quoi que ce soit à qui que ce soit.

Le jour du rendez-vous, je rôde en avance sur la place du village, un peu anxieux quand même. Si les livres manquaient?

L'agitation de la place me gagne. Dans la tiédeur de cette soirée d'arrière-printemps, les enfants excités virevoltent comme des mouches et, au mépris de toute prudence, s'élancent dans tous les sens, devant les mulets et entre les chars à ponts grinçants.

J'entrevois le chanoine, un paquet sous le bras. Mon cœur cogne à tout rompre. Je m'approche impatient et il m'accueille cordialement avec une tape sur l'épaule.

— Voilà mon grand, et bon courage! J'ai rajouté quelques commentaires utiles et des épreuves d'examens d'entrée à l'Ecole Normale, par simple curiosité. J'ai pensé que cela t'intéresserait.

— Merci Monsieur le chanoine, je prendrai soin des livres. Je suis décidé à travailler un maximum.

Le chanoine éclate de rire.

— Décidément, ce n'est plus le même Marcel... Mais tu n'as sûrement pas fini de me surprendre. Que Dieu m'entende! Donne-moi quand même de tes nouvelles.

— Promis, à bientôt, au revoir et merci encore!

Je pars en courant, serrant contre moi toute cette science qui m'est offerte.

Maman Pauline a beaucoup de peine à comprendre son drôle de gamin. Toute cette excitation pour rien! Puisqu'il ne pourra quand même pas aller à l'Ecole Normale. Pourquoi cette soif de savoir?

Je ne désarme pas. J'ai mon plan à long terme et on verra bien. Maman Pauline me prépare quelques sacs de toile, taillés dans les anciens sacs de sucre et de farine. Elle brode les initiales en rouge. Il en faut un pour les gros souliers neufs, un pour mon linge de corps, un pour les livres et les cahiers. C'est la première fois que je quitte la maison pour quelque temps et cela me fait une drôle d'impression.

Elle ne veut pas me montrer ces larmes qui s'échappent bêtement de ses yeux et roulent dans la farine tandis qu'elle pétrit. Elle n'a jamais pleuré devant personne depuis son mariage. Surtout pas devant son garnement si acharné à vouloir s'instruire! Que pense-rait-il? Du dos de sa main, pleine de farine, elle essuie ce chatouillement agaçant et chaud sur ses joues. C'est quand même idiot cette lassitude soudaine.

Le grincement de la porte l'a fait sursauter. Le petit de cinq ans entre en trombe. Il s'arrête soudain interdit devant sa mère et éclate de rire. De ce rire merveilleux et insouciant propre à l'enfance.

33

— Oh maman, on dirait que tu es un clown!

— Qu'est-ce que tu dis?

J'entre derrière Jean-Marie et interviens sèchement.
Je prends les cheveux de sa tempe entre deux doigts:

— C'est fini dis? Quelle manière de parler à sa
mère. Tu vois bien qu'elle travaille et qu'un peu de
farine a volé... va vite jouer!

Maman Pauline me regarde ahurie. Je m'approche
d'elle, un linge à la main, et lui essuie délicatement les
joues en posant sur chacune d'elle, un baiser.

— Je crois que je ne te l'ai encore jamais dit,
maman, mais je t'aime et t'admire infiniment.

Pauline, depuis bien des années, n'a été aussi
heureuse. Elle ferme les yeux et s'abandonne un instant
à ce bien-être inhabituel. Ce jeune homme, là devant
elle, doux, gentil, c'est son fils.

Elle se reprend rapidement, sèchement elle s'arrache
à ces miettes de bonheur. Où cela va-t-il la mener si elle
se laisse aller à l'attendrissement?

— Va vite mon grand, te mets pas en retard, ce
serait pas convenable. Ton sac est prêt et j'ai ajouté un
morceau de lard fumé comme tu l'aimes.

— Je pars, mère, tu seras bien seule, mais je t'écrirai.
Je vais encore cinq minutes vers père, car je ne le
trouve pas bien ces jours. Il veut me parler. Au revoir, à
bientôt. Si quelque chose ne va pas, envoie un messager
sur l'alpe.

Je sors lentement, en souriant, mon gros sac à la
main. Pauline entend ce pas, déjà presque un pas
d'homme, résonner sur les dalles du couloir et s'éloigner en direction de la chambre où mon père est alité.
Les rhumatismes l'ont définitivement terrassé. Il n'est
plus qu'une pauvre chose amaigrie, au teint havre,
enfoncé dans les coussins du grand lit.

Restée seule, Pauline s'assied pesamment, et se prend la tête à deux mains. Pourquoi tant de lassitude, pourquoi tous ces sacrifices? Si son grand fils avait raison...

C'est la première fois, mais aussi la seule de son existence, qu'elle remet en question sa vie, et la vie en général. Mais cela ne dure pas. Elle réagit très vite, car je passe devant la cuisine et je pourrais entrer par surprise.

Non, je file tout droit et accélère le pas en descendant l'escalier de granit. J'effleure les vieilles pierres aussi amoureusement que je caresserais une femme. La rugosité du relief étreint mon cœur. La froideur sèche du granit me parcourt d'un long frisson, comme un baiser volé.

Je veux me souvenir et me resouvenir... toujours. Soudain, je me demande si je connaîtrai bientôt ce sentiment de panique et de bonheur auprès de quelqu'un. Quel visage aura cet hypothétique lendemain de rêve? Je souris en pensant à certaines jeunes filles du village. Céline, un peu plus âgée que moi, qui se fait plein d'idées à mon sujet. Non, vraiment, je ne pourrais imaginer l'avenir avec elle. Il est encore bien tôt. Parce que, quelquefois, à la tombée de la nuit, lors de parties de jeux avec les gosses du village, je me suis trouvé seul à ses côtés, que nos coudes se sont frôlés, que nos mains se sont cherchées, l'odeur acide de nos deux corps en sueur nous troublait; parce que, lorsque je la rencontrais très chargée, je lui portais son fardeau, ses sens et son imagination ont galopé.

J'évoque aussi Olga, avec qui je m'entends comme les dix doigts de la main. De vrais larrons en foire! Je dis souvent en parlant d'elle, « mon meilleur copain ». Quelle farce ne lui ai-je pas jouée... quand nos parents nous envoyaient au bois, que de fois ne lui ai-je barboté ses fagots prêts, déposés à l'orée de la forêt!

Quelle colère la déchaînait alors! Les coups volaient. Nous rentrions couverts de bleus, après nous être réconciliés, bien sûr. Elle est mon meilleur confident. Elle au moins ne me pose pas de problème équivoque. Non, vraiment, mon avenir ne peut être envisagé sous cet angle-là. Je trouve les filles beaucoup trop compliquées pour l'instant.

Je me plais à imaginer quelqu'un d'idéal, selon une idée bien précise. Le temps décidera pour moi.

Je m'arrache avec peine à ces vieux murs et remonte la ruelle étroite d'un pas décidé. Je regarde les mazots d'un œil nouveau. Ils ont une âme, ils parlent, souffrent et respirent.

Cet adieu à mon village est étrange, comme si un autre moi-même s'éveillait.

Je rejoins l'homme et le mulet chargés de m'emmener à mi-chemin. Je suis très silencieux durant le parcours. Je m'imprègne de toute la saveur de ma vallée. Chaque chose prend une autre dimension. Les mélèzes frissonnent, la Dranse cavalcade sur les rochers en un ballet fantastique, grondant plus fort qu'à l'accoutumée. Les roues du char brinquebalent, chantent en grinçant une sorte de mélopée. Les sapins et la mousse embaument l'atmosphère de façon envoûtante.

Nous parvenons au bout de la route. Je dois continuer seul. Après une rapide poignée de main, je m'éloigne mon sac sur l'épaule. Je lève les yeux vers l'alpage. Sous le soleil couchant, le profil torturé des crêtes dansent, les petits sentiers s'entrecroisent, les ruisseaux jaillissent de toutes parts du ventre de la montagne.

J'attaque la montée. Mes pas marquent le sol, scandent la fuite immuable des secondes. Le souffle me manque un peu. Pourtant cet air du crépuscule me saoûle. Je suis ivre de toute cette nature, ivre de projets, d'espoirs. Un vent léger m'ébourriffe et m'enveloppe d'un manteau de fraîcheur. Je ressens un bien-être indéfinissable. Des marmottes, debout devant leurs terriers s'interpellent en sifflements tantôt aigus, tantôt plaintifs. Elles ne semblent nullement troublées par mon approche. Sublime indifférence!

Je ralentis. Un couple de chamois et leur petit apparaissent, majestueux sur la crête en surplomb. Je m'arrête fasciné. Souvent j'en ai vu, à l'aube, quand je partais pour la coupe du bois, mais à chaque fois c'est le même envoûtement, le même étonnement devant cette noblesse et ce dédain qu'ils affichent. Pureté des lignes dans le jour déclinant, perfection de la nature en équilibre sur l'ourlet de la nuit.

La montée jusqu'au chalet d'alpage est pour moi un pélerinage et dure une éternité.

Le fromager taciturne et hirsute m'attend sur le pas de la porte. Le bruit des sonnailles éparpillées dans la montagne, donne à la nuit adolescente, une résonance particulière.

Dans l'immense cheminée, un feu crépite sous la grosse marmite de cuivre, d'où s'échappe un fumet réconfortant. Une potée bien montagnarde au lard accompagnée de pain de seigle nous réunit dans la montagne silencieuse. Nous nous observons à la dérobée par dessus nos assiettes, mi-timides, mi-sauvages. Le fromager émet en mangeant des bruits gargouillants.

Bientôt je serai seul ici, alors je n'entendrai que le son de ma cuiller choquant le fond de mon assiette. Je me plonge dans l'examen de mes instruments de bois. Ce doit être du mélèze, ces veines bien droites, ce bois rose-orange très dur, qui sent encore la forêt.

Durant quinze jours je vais pouvoir savourer ce bonheur sauvage, après, l'autre garçon viendra m'aider.

Je réalise alors que Lucien me regarde, je lui souris et sors de mon sac le morceau de lard fumé. Le fromager grogne de plaisir et me lance un clin d'œil complice. La partie semble gagnée pour moi. Pourtant Lucien n'est pas un homme facile, on m'avait averti.

Le rituel du repas terminé, Lucien fait le tour des lieux avec sa lampe à pétrole. Au-dessus de l'étable, une sorte de galerie où l'on accède par une échelle, nous sert de chambre. Des paillasses fraîchement remplies sont posées à même le sol. Elles fleurent bon les herbes sauvages. Cela me rassure. Tout ce qui touche à la nature m'apporte une paix intérieure.

Le soir, j'écris une lettre au chanoine, ma première lettre d'homme déraciné.

« Révérend Chanoine,
A peine installé, j'éprouve le besoin de vous donner mes impressions.

La montée à pied fut merveilleuse. J'ai redécouvert une foule de choses et de détails qui ne m'effleuraient même plus auparavant. Suis-je en passe de devenir sensible comme une fille, ou est-ce normal?

Jamais je n'ai trouvé notre vallée aussi belle, aussi riche, aussi attachante. J'ai écouté les marmottes avec ravissement, observé les chamois, regardé toutes les sources que la montagne libère, et là, j'ai pensé à une explication que vous m'avez donnée un jour fort lointain.

Explication sur le principe de l'évaporation de l'eau, des nuages, des orages. Tout cela m'avait paru compliqué et aujourd'hui, en regardant une source se faufiler entre les brindilles, j'ai compris que j'étais cette source. Elle jaillit de la terre, sautille de cailloux en rochers et avec toutes les autres sources de l'alpe, elle devient la Dranse, tourmentée, sauvage, giflant le roc, égratignant les sapins, elle attrape en passant les deux Dranses d'Entremont et de Bagnes, elle se calme avant de sauter dans le Rhône, placide, silencieux, qui traverse le grand lac, partage Genève en deux et repart en lui chatouillant les flancs. Puis, le Rhône descend d'autres vignobles, prend une dernière tranche de liberté en Camargue, avant d'épouser la Méditerranée.

Vous, moi, nous sommes cette source, cette rivière, ce torrent, nous deviendrons ce fleuve malgré nous... Et de la mer, des gouttelettes s'évaporent et s'évaporent encore. De gros nuages prennent forme et viennent se déverser chez nous, sur cette vallée, sur nos glaciers et la boucle se ferme, et le jeu recommence.

Au revoir, Monsieur le Chanoine, et merci de votre appui.

Marcel »

Cette première nuit sur la paillasse est un havre de paix et de calme. Au lever du jour, je pars avec Lucien et, à l'aide du cor, nous hélons le troupeau. Lentement, en file indienne, il arrive et rentre à l'étable.

Quand toutes les bêtes sont à leur place, nous commençons la traite, chacun à un bout de la file.

Ce travail long et pénible m'occupera chaque jour à l'aube durant plusieurs mois. Quand un seau est rempli, on le vide dans l'énorme cuve où sera fabriqué le fromage. Cette fabrication prend une grande partie de la journée. Puis, il faut nettoyer la laiterie de la maison. L'après-midi, on retourne chaque meule. Il faut en contrôler la qualité, on l'essuie ou l'humecte, selon les besoins.

Dans l'après-midi, on prend un moment de détente.

Je m'éloigne de la longue maison plate, et lové au creux d'un rocher, sous les branches d'un mélèze, je m'abandonne à l'environnement.

Se déroule devant mes yeux un fantastique théâtre. Les nuages rendent le paysage gris et d'une nocturne immobilité. Mais voici que Maître Soleil fait une entrée fracassante, tout devient clarté. Dans la montagne, les corbeaux et les buses deviennent fous. La lumière strie la fontaine de cramoisi, balaie la brume sur les combes. J'aurais dû comprendre beaucoup plus vite, mais les yeux et les oreilles de mon cœur étaient bouchés et je ne tenais probablement pas à comprendre.

Ces années que j'avais vécues, jalonnées de projets, m'apparaissaient soudain comme une existence de fourmi: j'entassais, sans trop le savoir, dans le grenier de mon esprit. Maintenant tout s'éclaire enfin!

Jour après jour, minute après minute, j'exécute le mieux possible la tâche qui m'est attribuée, puisque pour l'instant, ma place est ici. Dans quelque temps elle sera ailleurs. Mais comme cet avenir est encore incertain, bordé d'embûches de toutes sortes...

Je suis exténué le soir, pourtant prendre mes livres et mes cahiers m'apporte une bouffée d'espoir pour l'avenir. Ces longues soirées devant l'âtre, me sont aussi indispensables que le soleil et l'air. Je suis conscient que durant les mois à venir, c'est ma vie entière que je joue. Pendant les heures creuses, je cueille la fougère odorante, le thym, la mauve, la menthe sauvage, pour rafraîchir nos paillasses.

Chaque soir, le soleil déclinant réserve de nouveaux décors à mon théâtre.

J'entasse des provisions de calme et de bonheur. Le paysage fait miroiter ses ombres et ses éclats. Je suis un enfant perdu dans la nature.

Depuis quelques jours, je suis seul, le fromager a réintégré la vallée. Avant l'arrivée de l'aide, j'ai le temps de savourer cette solitude, de me retrouver face à moi-même. Je suis devenu un fervent de la lune. La nuit je ne suis jamais seul. Je me refuse à fermer les rideaux, pour la laisser pénétrer dans mon intimité. J'ai besoin d'elle, comme du silence et de ma vallée.

Mes études avancent. Chaque jour je m'attelle à de nouvelles matières, à de nouveaux problèmes. Il me semble que je dompte facilement les obstacles. Je leur réserve à tous une surprise de taille!

Il paraît que ma première lettre au chanoine l'a beaucoup surpris. N'était-elle pas le reflet de moi-même? Ai-je changé à ce point? Je ne sais pas très bien.

Depuis deux jours, la nature et striée de gris, griffée, giflée par le vent et la pluie. Mon paysage pleure et il pleut sur moi. Je suis bien. Les larmes qui ruissellent sur mon visage sont d'eau douce et effacent mes orages. Elles lavent les doutes et les angoisses, elles arrosent mon renouveau. Et si les arbres pleurent aussi, c'est pour se mettre à l'unisson. Ils seront plus verts, quand le soleil balayera de ses rayons les ombres et les tristesses, comme je serai plus virilement « moi », quand mon stage prendra fin, quand je saurai vers quel cap orienter ma vie.

Le brouillard par instant, emballe la vallée d'un manteau gris, opaque; ambiance ouatée, attente. Au-delà, la vie et ses hasards...

Depuis quelques semaines, grande progression dans mon travail. Quand je dis travail, je pense à mes études. Tous les soirs, à la lueur de ma lampe à pétrole, tard dans la nuit, j'attaque les problèmes difficiles, à la manière d'un alpiniste escaladant prudemment mais

41

sûrement, la paroi vertigineuse qu'il a choisi de vaincre.

Je reçois des messages encourageants des chanoines, et souvent, je donne des nouvelles à maman.

L'aide est arrivé depuis quelques jours. L'entente est bonne. C'est un jeune homme robuste, venant de la vallée d'Aoste. Rapidement mis au courant, il m'apporte un appui efficace.

Les mois passent. Le soir, épuisé, je m'effondre sur mon lit d'herbes sauvages. Les jours s'égrènent doucement et parfois je prospecte les forêts environnantes en tous sens, à la recherche de chanterelles et de bolets beurrés. Parcourant les sentiers, je flaire les champignons... oui, c'est étrange, je les repère à l'odeur. L'humus de la forêt exhale un parfum acide, surtout le matin, lorsque la rosée recouvre de sa fine pellicule la nature en éveil. Si des champignons se trouvent dans un coin de mousse, ils embaument si fort les alentours, qu'il est difficile de passer à côté sans les remarquer.

Au retour, je prépare un festin. Une potée montagnarde. Je mélange en quantités égales, des pommes de terre, des lardons et des chanterelles, avec un peu d'oignons et de bouillon. Je fais cuire le tout dans la marmite en fonte, sur le feu de bois, plus d'une heure. Plat tout de saveur, de moelleux et de sylvestre fumet.

Un mois avant la fin de mon séjour, une surprise de taille m'attend.

Des chanoines, en excursion par le col Fenêtre depuis le Saint-Bernard, font un détour par la Léchère et prennent le petit déjeuner avec moi. Ils ont apporté du pain frais et je leur offre le lait encore chaud. Ils sont porteurs d'une missive à mon intention. L'un d'eux me félicite pour ma persévérance. Toutes les épreuves d'examens que j'ai tentées ont été corrigées par leurs soins. Un nonante pour cent est paraît-il atteint. Le prieur a donc décidé de s'occuper de moi.

Qu'est-ce que ça veut dire?

L'un d'eux me tend une lettre cachetée de cire rouge. Je suis impressionné et n'ose comprendre. Je l'ouvre fébrilement. La lettre est à l'entête de l'Hospice du Grand Saint-Bernard:

« Le prieur du Grand-Saint-Bernard, d'entente avec la communauté de ses chanoines, vu la volonté évidente et l'application du jeune Marcel, a décidé de lui avancer la totalité de la somme nécessaire à ses études et à son trousseau d'internat.

Les études devront être menées à bien avec persévérance. Au cas où le jeune Marcel aurait des résultats de diplôme final supérieurs à 5,0 — 6,0 étant la note maximale — la dette sera éteinte avec nos félicitations. Si le résultat est situé en dessous de 5,0 jusqu'à 4,0 — moyenne minimale — la moitié de la somme reste exigible.

Si, par contre, les résultats en cours d'études montraient un laisser-aller, il devrait alors quitter l'Ecole Normale et rembourser les frais engagés. Les examens d'admission ont lieu au mois de janvier à Sion et le début de l'année scolaire est à Pâques.

P.S. Nous avons demandé à sa mère son cahier de notes scolaires, ainsi que certains papiers nécessaires à son inscription. Elle ne comprenait pas l'utilité d'une telle démarche. Nous laissons au jeune Marcel la joie de lui annoncer la bonne nouvelle.

Avec notre confiance, nous adressons au jeune Marcel, nos vœux... etc. »

Je lâche la lettre et me prends la tête dans les mains. Mon rêve prend forme et cela me paraît si invraisemblable que j'en oublie le moment présent. Les chanoines me regardent, un sourire aux lèvres, en dégustant le lait.

— Vous êtes certains que c'est bien pour moi?

— Mais enfin, Marcel, tu as lu ton nom?

— Oui, mais cela me paraît tellement incroyable. Je ne sais que dire. C'est fou, tellement inattendu!

— C'est d'autant plus beau. Allons, remets-toi!

— C'est trop, merci!

Je sors comme un fou en riant.

Le soleil est encore loin, mais la vallée éclate de beauté. Aucun nuage ne mâchure le ciel, les crêtes tortueuses dessinent des arabesques à l'horizon. Le glacier étincelle. Je cours jusqu'au surplomb face à la vallée, et là, je crie de toutes mes forces.

— Hourra! J'ai gagné mon pari. Hourra!

Et l'écho très loin répond. Hourra... hourra... ra...ra.

Les chanoines viennent vers moi en riant.

— Ta joie est communicative et c'est beau de la crier au vent. Alors, c'est oui?

— Bien sûr, quelle question!

— Nous allons redescendre, car nous voulons ensuite grimper à la Cabane Dufour. Après le dîner, nous rejoignons l'Hospice par le même col que ce matin.

— Merci beaucoup, j'écrirai aujourd'hui même à mes parents ainsi qu'au prieur pour le remercier.

— Ah, Marcel, j'oubliais, nous avons besoin de quelqu'un en novembre dans les environs d'Orsières pour les coupes de bois de l'Hospice, et en décembre janvier et février, à la maison-mère de Martigny pour quelques transformations nécessaires. Nous cherchons un homme habile, cela t'intéresse-t-il? Tu serais bien rétribué et tu rentrerais chez toi tous les deux jours. Le samedi après-midi et le dimanche sont libres.

— J'allais justement chercher du travail pour trois ou quatre mois. Mais il faut que je pose la question à ma mère; elle a beaucoup de soucis en ce moment avec papa...

— Nous passerons la voir la semaine prochaine pour lui proposer cette solution et nous verrons si nous pouvons quelque chose pour ton père.

— Comment vous remercier?

— En nous prouvant simplement par ton travail que nous avons raison de te faire confiance.

— Ça je vous le promets, au revoir, et à bientôt pour le bois à Orsières.

Je les regarde s'éloigner. La Providence arpente les sentiers. Je n'en reviens pas encore. Tout arrive si vite. Et je l'ai si longtemps, si ardemment désiré.

La brume tombe à mi-collines, puis reste en suspens, plate, blanche, entre torrent et ciel. Elle colle à mon visage. Quand le soleil réchauffera tout, elle se dissipera très vite. La journée sera belle. Je marche dans les épaisses fougères en écrasant des fragments entre mes doigts. Je m'arrête sur un rocher poli par le vent et l'eau, recouvert de mousse. Une petite brise flâne paresseusement. Aujourd'hui c'est un jour de fête. La besogne attendra un peu. Désormais quand je pense à mon avenir, ce n'est plus du rêve, de l'utopie, c'est une réalité concrète, c'est une chose possible. Difficile d'y croire aussi vite! Pourtant, je peux dès maintenant faire des plans. Je dois même prévoir cet avenir tout neuf. Si tout va normalement dans quatre ans et demi, j'aurai mon diplôme d'instituteur. Mais après?

Ne pas trop penser à après, penser à cet avenir immédiat, proche, tangible. Les premiers temps de ma vie d'internat ne seront sûrement pas faciles.

Quitter cette vallée, quitter cette liberté, me retrouver enfermé entre quatre murs. Bien sûr, je me dis que c'est capital pour plus tard. Si je muselle ma liberté, c'est momentané.

Ne plus entendre le bruit de la Dranse, quand le sommeil tarde à venir. Ne plus appeler les oiseaux, les buses, ne plus observer les chamois, ne plus écouter les marmottes, ne plus entendre respirer les mazots.

Quand on ouvre la fenêtre, voir une ville triste, grise. Je ne la connais pas encore, mais je l'imagine. Déjà quelques voitures. Ici elles n'existent pas encore. Une seule fois j'en ai vu passer une dans mon village. Une superbe auto jaune, avec une marche. Le bruit de son moteur était assourdissant. Un cheval avait pris le mors aux dents à son passage.

Je vais me retrouver avec des camarades de quinze ans dans ma classe. J'ai deux ans de retard, mais peu importe. Je suis habitué à la solitude ; il se trouve même que je l'aime. Il faudra que je me fasse rapidement à cet apprentissage de la vie sociale, à ce contact permanent avec les autres, car au fond, je suis sauvage.

Ce dernier mois passe rapidement. Arrive le jour où je dois rendre les comptes de l'alpage. Tout se passe bien. La production du fromage a été satisfaisante et je reçois le solde de ma paie, accompagné d'une belle meule de ma fabrication. Maman Pauline est heureuse de mon retour et émue par l'argent que je lui rapporte. Elle n'en revient pas de ce qui m'arrive. Son fils va devenir instituteur. Pour elle, cela équivaut presque à avoir quelqu'un de savant dans la famille.

Du moment que la question financière est réglée,

elle remercie le Ciel. Les chanoines ont envoyé un nouveau médecin auprès de mon père. Il lui administre des médicaments encore inconnus. Il souffre moins et peut s'asseoir de longs moments chaque jour. Je serai donc plus tranquille lorsque je devrai partir. Le travail proposé par les chanoines est accepté avec joie. La chance semble avoir tourné pour nous.

Les préparatifs commencent. Tous les matins à l'aube, je me rends à la forêt communale. Avec d'autres ouvriers, nous alignons les stères de bois pour l'Hospice. Le travail est dur, mais la perspective de l'avenir me donne du cœur à l'ouvrage et les jours passent vite.

Le mois de novembre tire à sa fin et je commence les trajets entre Martigny et Orsières, tous les deux jours. A la maison-mère, nous devons aménager l'étage des combles. Durant l'hiver, nombreux sont les chanoines qui redescendent en plaine. Le nombre de chambres est devenu insuffisant. Avec l'aide de menuisiers, nous isolons les soupentes et les recouvrons de lambris. Ensuite, nous séparons les combles par d'autres cloisons, afin d'obtenir dix chambres-cellules supplémentaires et une bibliothèque pour les novices. Si tout marche bien, fin janvier, nous finirons avec des douches-WC.

Ces trois mois me seront bénéfiques, car je goûte déjà à la vie communautaire. Les repas sont pris autour d'une énorme table.

J'appréhendais une atmosphère trop rigide, trop mystique. Mais je dois me rendre à l'évidence que la vie ici est plutôt gaie. Les plaisanteries fusent sans arrêt et la bonne humeur est constante. J'ai l'impression de faire partie d'une grande famille: on me parle avec chaleur, on s'inquiète de mes problèmes avec amitié. J'essaie de faire une comparaison avec ma vie future, mais une comparaison est-elle possible? Ceux qui vivront avec moi seront beaucoup plus jeunes. Et la conception de la vie diffère avec les années.

Je crois que cette chaleur et cette communion d'esprit n'est pensable qu'ici, dans cette microsociété. Je vais essayer d'en tirer le maximum de profit et de philosophie pour plus tard. Ce plus tard si proche!

Me voilà à quelques jours du vrai départ pour l'internat. L'examen s'est déroulé sans problème au mois de janvier. Je suis sorti troisième sur quatre-vingts élèves. Seuls les vingt premiers pourront suivre l'Ecole Normale. Il a fallu organiser cette vie future. Maman s'affaire comme une abeille depuis plusieurs semaines déjà, afin que tout soit prêt. Elle m'a confectionné dans de la toile fine, une douzaine de chemises de ville.

Nous avons commandé à Martigny mon premier costume. Il est de lainage sombre et j'ai grande allure! Deux paires de souliers légers, un chapeau — ça, c'est maman qui insistait mais moi je me trouve l'air plutôt bizarre — des sous-vêtements neufs et des chaussettes, que ma mère me tricote à la chaîne. A nouveau, elle taille dans les grands sacs de toile grège, des plus petits pour mes affaires de toilette, pour mon nécessaire à chaussures, pour mon linge sale. Merveilleuse petite femme, qui brode des initiales de toutes les couleurs sur mes affaires.

Un chanoine s'est offert pour m'accompagner à l'école en train. J'aurais préféré entamer seul cette nouvelle route, mais je ne peux refuser cette gentillesse. J'ai quand même au coin du cœur l'impression que lors de l'arrivée au pensionnat, les autres vont me mettre l'étiquette de « gosse de pauvres ».

Le moment n'est pas à la fierté et il faut savoir marcher sur son amour-propre.

CHAPITRE 3

ADOLESCENCE AU PENSIONNAT

Je me retrouve dans un dortoir de douze garçons. Les lits soigneusement alignés contre le mur, font face à des lavabos et sont séparés les uns des autres par des rideaux blancs. Chacun dispose d'une armoire et d'une table de nuit, avec une bougie. J'ai le curieux sentiment de pénétrer dans un hôpital.

Je me dirige vers la fenêtre et l'ouvre toute grande. La ville est grise, un peu triste, comme dans mon imagination, mais si je lève un peu les yeux, au-dessus des toits sombres et uniformes, je reçois toute la magie du vignoble sur le coteau, disposé en escaliers, avec des murs de pierres sèches et solides comme dans mon village. Et, en cadeau, sur la gauche, mes yeux se plissent sous la caresse des amandiers en fleurs, petits paquets floconneux et doux, éparpillés dans les vignes. Dès que j'en aurai la permission, je gravirai le coteau prometteur pour mieux graver ces images en moi.

Ainsi, je n'aurai qu'à lever les yeux plus haut que la ville et j'aurai droit à toutes ces merveilles! Personne, jamais, ne se doute de la raison qui si souvent me pousse à cette fenêtre. Des suppositions de toutes sortes sont émises. J'ai même droit à une remarque du surveillant général, soupçonnant que ce regard tourné vers la gauche, s'adresse en réalité à la droite, à l'Ecole Normale des filles! Que les gens sont donc tordus!

Mais je me contente de sourire, car même en pareil cas, je ne verrais pas de mal.

Ce coteau est mon havre de paix. Je découvre au fil des saisons, tous les charmes, toutes les facettes de ce paysage rude des vignes. Tantôt vert tendre, tantôt doré, tantôt roux ou brun, tantôt ocre et finalement squelettique.

Cette ville que je craignais triste, a donc aussi ses charmes. Et j'en découvrirai d'autres encore au fil des jours : ses châteaux pleins d'histoire, ses tours médiévales, ses remparts, sa vieille ville où chaque ruelle, chaque escalier, évoque une rencontre ou une poursuite, les vieilles enseignes de fer forgé, semblables à celles de notre pension. Je garderai donc un contact permanent avec ce monde que j'aime.

Par hasard, lors d'une promenade, j'ai rencontré toute l'Ecole Normale des filles et j'ai croisé le regard de cette chère Céline. Elle semble toujours aussi sûre de ses charmes. La pauvre, si elle savait comme elle m'indiffère !

Par contre, les études me passionnent et me plaisent chaque jour un peu plus.

Durant la deuxième année cependant survient un événement qui risque de changer le cours de mon avenir. C'est l'époque du carnaval. Il est de tradition, d'un pensionnat à l'autre, de se chahuter.

Un de mes camarades, aussi au bénéfice d'une bourse, mais de l'Etat celle-là, et qui durant toute l'année s'est distingué par ses frasques multiples, se trouve en mauvaise posture !

Il est passionné de chimie, et prétextant des heures supplémentaires, a confectionné de petits explosifs et fumigènes de son cru.

Depuis deux jours, il en dépose régulièrement sous

les fenêtres du dortoir des filles d'en face. Cela, bien sûr, de préférence la nuit. Ce qui devait arriver arriva! Le copain se fait séquestrer par le surveillant général qui a de fortes présomptions à son sujet. La directrice de l'Ecole a envoyé une plainte en bonne et due forme, lui faisant part de ses soupçons à l'égard de l'élève.

— Si, quoi que ce soit devait arriver ce soir, je déposerai plainte à la Police. J'exigerai le renvoi de l'élève en question.

Mon ami est mort d'inquiétude. Pour la première fois, Roger l'insouciant se ronge les sangs. Je le rejoins au dortoir pour lui changer un peu les idées.

— Ecoute, Marcel. Tu dois me rendre service! Il est 19 heures, bientôt ce sera l'heure du souper. J'ai été brancher des pétards à retardement sous les fenêtres d'en face. Ils doivent en principe sauter à vingt-trois heures. Il faut à tout prix que tu ailles les débrancher.

— Est-ce que tu imagines vraiment ce que tu me demandes? Tout le pensionnat est surveillé, la promenade est supprimée ce soir. Comment crois-tu qu'il soit possible de sortir?

— Comme j'ai fait hier soir... J'ai une provision de cordes à foin dans mon armoire. Avec quelques nœuds, on arrive jusqu'en bas. Tu sais que, sinon, je suis renvoyé?

— Te rends-tu compte du risque que je cours aussi? Si j'étais renvoyé?

— Dans ce cas je me dénoncerais, mais je ne peux te forcer.

— Je ne te promets rien, laisse-moi réfléchir.

Le soir venu, après l'extinction des feux, je me décide tout à coup. Je me penche à la fenêtre pour en évaluer la hauteur. J'ai une certaine habitude de la montagne et j'ai déjà effectué de nombreuses séances de

51

varappe et de descentes en rappel, dans les pentes rocheuses et vertigineuses au-dessus de La Fouly. Cela doit en principe m'aider. Je contrôle chaque nœud afin d'en éprouver la solidité. J'amarre solidement une extrémité au crochet de la fenêtre et au radiateur et je regarde mes camarades, qui, assis sur leur lit, me font des signes d'encouragement. Et me voilà, me balançant dans le vide.

Me repoussant des pieds, je commence la descente en rappel. Trois étages, c'est tout de même quelque chose! Heureusement, je parviens sans encombre sur le gravier de la cour.

Je suis resté pieds nus, ainsi il est plus facile de passer inaperçu. Mais nous ne sommes qu'en mars et les morsures froides du gravier me surprennent. Il crisse. Il me semble que la ville entière doit m'entendre. Je me dirige précautionneusement vers la sortie. J'ai mis mon training, au cas où je rencontrerais quelqu'un, cela paraîtrait moins bizarre. Je peux toujours faire semblant de courir comme pour un entraînement.

J'arrive très discrètement vers le portail des filles. Je rentre dans l'ombre devant la grande maison. Les arbres balancés par la brise prennent des allures humaines. J'entends des murmures et des rires étouffés dans le dortoir.

Il faut que je m'oriente. Roger m'a parlé d'un arbuste de menthe où est camouflé l'un des pétards, et l'autre, serait à la base du lierre. Je vois sur le mur les bras tentaculaires du lierre étreignant la façade. Je finis par dénicher le gros pied de la plante. Et au moment précis où je désamorce le premier engin, la lumière jaillit dans le dortoir deux étages plus haut et inonde la pénombre d'une clarté violente! Je me plaque contre le mur dont les rugosités me mordent le dos.

52

Quelqu'un se penche à la fenêtre et ausculte la pénombre. Je retiens mon souffle, les secondes passent, un oiseau lance ses trilles dans le lointain. J'entends des bribes de conversation du deuxième.

— Ne voyez-vous vraiment rien, Sœur Marie de la Rédemption?

— Non, ma sœur, j'ai beau scruter le jardin. Peut-être n'est-ce qu'une idée? Voulez-vous que je descende dans le jardin?

— Attendons encore un peu, nous verrons bien si cela se reproduit.

Je ne suis vraiment pas rassuré, d'autant plus que l'autre pétard ne devrait pas tarder à sauter. Si je ne le désamorce pas rapidement, nous sommes fichus!

Enfin la lumière s'éteint et la nuit retrouve son territoire. Je ressors de l'amas de branches et cherche la plante de menthe. C'est finalement l'odeur qui me guide et je fouille le pied de l'arbuste. Affolé, je dois me rendre à l'évidence qu'il n'y a pas trace de pétard. Je continue à longer le mur du pensionnat discrètement. De mes orteils, j'agrippe le gravier afin d'en atténuer le bruit. Après cinq minutes de recherches qui me paraissent interminables, je découvre un autre pied de menthe et je peux terminer le curieux travail.

Lorsqu'enfin je quitte le jardin défendu et que je passe le lourd portail, la lumière jaillit à nouveau! Heureusement, je suis au beau milieu de la route, mais exactement dans la trajectoire du jet de lumière.

Je regarde mon ombre grotesque s'étirer démesurément. On m'interpelle depuis la fenêtre.

— Qui êtes-vous? Ne seriez-vous pas un élève de l'Ecole Normale des garçons?

— Non, pourquoi, je fais mon entraînement de course à pieds, tout simplement.

— Je n'en suis pas si sûre. Sœur Marie Angèle, téléphonez à l'Ecole d'en face pour qu'un contrôle soit effectué dans les dortoirs. Je veux savoir si personne ne manque.

— Il est très tard ma sœur.

— Faites ce que je vous dis. Et vous, bonne promenade! dit-elle en me regardant.

Je suis complètement paniqué à l'idée du contrôle. Je prends mes jambes à mon cou. J'arrive essoufflé dans notre cour. Tout semble normal et calme. J'atteins le cheneau ou j'ai amarré la corde et je commence l'ascension. Un camarade passe la tête par la fenêtre et me demande si tout est réglé.

— Oui mais il y a un «pépin», les Sœurs sont en train de téléphoner. Un contrôle va être fait dans les dortoirs. Trouvez quelque chose!

— D'accord, ne t'inquiète pas!

Je monte péniblement et j'entends du remue-ménage là-haut. Pourvu que mes copains dénichent une solution qui tienne debout.

Je prends appui sur la fenêtre du premier pour reposer mes mains endolories. Je les entends qui courent à leur lit. Que se passe-t-il?

Je reprends ma difficile ascension. Suis-je idiot de me fourrer dans une pareil guêpier.

J'approche enfin de la fenêtre du dortoir. Mes mains agrippent le rebord et... le dortoir s'allume! La voix de «Grelu» le surveillant général, retentit. Moi, je saisis rapidement la corde et l'accroche autour de ma jambe droite, l'enroulant trois fois, afin de m'assurer. Je me retiens d'une main au bord de la fenêtre, et j'attends, balancé au sommet de la corde, dans le vent du soir.

— Est-ce que tout est normal ici? Je fais l'appel, répondez! Antoine... Roger... Maurice... Daniel... Can-

54

dide... Lucien... Pierre... Francis... Cyrille... Armand... Marcel.

Miracle! Quelqu'un a répondu pour moi, mais comment «Grelu» ne s'en est-il pas rendu compte? La lumière s'éteint. Il est temps car mes doigts s'engourdissent et la corde me scie la jambe!

Deux camarades se précipitent et me tirent de toutes leurs forces. Je tombe à l'intérieur à quatre pattes, la corde encore enroulée autour de ma jambe. Je suis complètement épuisé.

Roger récupère la corde à toute vitesse et la camoufle dans son armoire. Evidemment, l'ambiance n'est pas des plus calme, ce qui attire à nouveau le surveillant. En une envolée, tout le monde saute sur son lit, ce qui provoque des grincements épouvantables et des fous rires intempestifs.

Nous sommes vertement tancés par «Grelu» qui pense à un chahutage. Tout le monde se voit consigné pour deux heures d'étude le lendemain! Peu importe, l'honneur est sauf et moi aussi!

Quelle n'est pas ma surprise en découvrant le stratagème utilisé par mes copains. J'éclate de rire. Des couvertures et des habits donnent l'aspect d'un corps sous les draps et vers la tête, un ballon de foot, recouvert d'un pyjama et surmonté d'une brosse à risette, poils en l'air, le tout camouflé au trois quarts par les couvertures, donne l'apparence de cheveux en brosse.

Antoine me dit:

— Tu comprends, «Grelu» est tellement myope, nous avons misé sur l'absence de lunettes, vu la rapidité de la mission. Et nous avons eu raison!

Cette petite diversion fait partie du piment apporté dans la vie de tous les jours.

Chaque période de vacances se passe dans mon village et je retrouve toujours de quoi m'occuper. Père va de plus en plus mal et je ne suis que peu surpris, au milieu de ma troisième année d'études, lorsque je suis convoqué d'urgence chez le Directeur.

— Vous êtes dispensé des cours pour quelques jours, car votre père va très mal. Allez à son chevet. Donnez-nous des nouvelles d'ici trois jours.

— Merci, Monsieur le Directeur, au revoir.

NAISSANCE D'UN HOMME

Ce retour dans mon village me paraît sinistre. Le paysage lui-même semble tourmenté. Ma pauvre mère fait peine à voir.

Bien sûr, depuis longtemps elle est consciente de l'issue fatale. Difficile à accepter d'être dépossédé d'une partie de soi-même. Et un homme à la maison, même malade, cela rassure.

Le cœur usé de mon père s'affaiblit terriblement en raison des rhumatismes. Le docteur m'avertit que cette nuit, probablement, tout finira! Je préfère ne pas le dire à maman et lui conseille de se coucher en prenant une tisane. Elle accepte un peu à contrecœur. Je suis seul au chevet de père, le prêtre viendra plus tard.

— Fils, tu es responsable, je m'en vais enfin! Ta pauvre mère a supporté si longtemps sans jamais se plaindre. Elle s'est usée, tellement, prends le fardeau.

— Bien sûr père, ne parlez pas trop, vous vous fatiguez!

— Il me reste si peu de temps. Je regrette de ne pas t'avoir connu davantage. On vit les uns à côté des autres, sans toujours savoir, sans jamais comprendre, sans jamais prendre le temps de se demander si l'autre a besoin de nous et puis on réalise le bout du chemin tout seul, parce que l'on n'a pas pris le temps de vivre. Vivre mon fils, ce n'est pas seulement travailler comme des esclaves, c'est aussi apprendre à écouter les bruits, à découvrir la vraie valeur des choses, leur vraie couleur. C'est aimer le vent dans la montagne, les brebis qui naissent, ne pas seulement les considérer comme des choses à faire valoir, mais bien plutôt comme des vies, avec tout ce que cela comporte de merveilleux, d'insoupçonné, pour l'animal comme pour l'homme. Nous autres paysans de montagnes, nous nous laissons trop facilement englober, dévorer par le paysage sauvage, par le granit de nos rocs, et nous devenons comme eux, sauvages, durs, et cela sans même en être tout à fait conscients mais sans lutter non plus. La vie est un don tellement fabuleux, on ne le réalise bien que lorsqu'elle nous glisse entre les doigts, comme du sable fin. Alors, on ne peut plus la retenir. Bientôt, tu seras un homme au métier solide. N'oublie pas ceux qui restent.

— Je vous le promets père, maintenant reposez-vous.

— Donne-moi la main, fils, il sera plus facile de partir. Je dois aller, déjà on m'appelle. Je ne souffre plus, mais j'aime savoir que tu m'accompagnes jusqu'au seuil. Dieu nous garde tous.

Mon père ferme ses yeux dévorés de fièvre. Je le regarde intensément, comme si je le voyais pour la première fois. Cet étranger discret, délicat, mais tellement secret, sauvage, c'est mon père. Et je dois assister impuissant à son départ. Son visage amaigri est strié de rides profondes, son teint gris déjà, donne à son visage une transparence d'au-delà.

J'aimerais pouvoir reculer cette échéance tragique, pour lui donner encore le temps de vivre, de nous apprendre, comme il le souhaitait. Le temps d'être heureux.

La vie a d'étranges tournures. Mes parents ont vécu

malgré eux, sacrifices, privations, maladie, attente vaine d'un lendemain meilleur.

A nouveau je me pose une foule de questions sur l'avenir. J'entends le sourd grondement de la Dranse sous le pont de bois.

Je regarde par la fenêtre ce cher vieux clocher qui bientôt sonnera le glas. Prendra fin aussi, toute une époque de frasques et d'insouciance. Le passé s'effrite avec la vie de père.

Le plancher craque comme s'il souffrait aussi.

Quelqu'un frappe à la porte. J'esquisse un mouvement pour me lever mais la pauvre main s'accroche à moi, aussi, je me contente de dire:

— Entrez!

Monsieur le curé, le front baissé, entre doucement et referme la porte. Il a revêtu l'habit de circonstance pour l'extrême-onction.

Maman a préparé un petit autel sur la commode de cerisier. Il dépose cérémonieusement les objets du culte, verse de l'eau bénite dans la soucoupe et s'approche de père. Il me demande quelque chose à voix très basse, et commence les prières en latin.

Je lui fais signe de la tête en lui désignant nos mains jointes, pour lui faire comprendre que je ne peux m'exécuter. Il acquiesce et continue de psalmodier les prières. Celles-ci terminées, il s'adresse à moi, mais le peu d'empressement que je mets à répondre lui montre que je n'ai guère envie de parler, mais d'être seul avec père. Il s'incline, lui touche le front, puis repart en me saluant.

Je souhaite ardemment que plus rien, ni personne ne vienne troubler notre douloureux tête à tête.

Père entr'ouvre ses yeux déjà brumeux, il me regarde et me sourit.

De petits mouvements esquissés par ses doigts me remplissent d'angoisse. Je comprends que très vite, il ne sera plus que l'ombre de lui-même.

Je me penche et pose mon front sur nos mains, et là, comme un enfant, comme son enfant, je pleure silencieusement. Ce chagrin immense me tord le ventre et cogne dans ma tête.

Je sens que très lentement, père remonte une de ses mains jusqu'à ma tête, il la pose dans mes cheveux, je suis désemparé, tremblant, je voudrais être tout petit et tout recommencer. Nous avons des années de tendresse à rattraper.

Je sens sa main se crisper un peu pour me caresser, et elle ne se desserre plus. J'attends, ne voulant rien troubler, voulant immortaliser l'instant de communication extrême du père et du fils sur le seuil, en train de se séparer.

J'ai dû m'endormir ainsi, car au petit matin, j'ai compris que la main qui démêle les cheveux de la main de père, c'est maman.

Je n'ai plus de larmes, je suis devenu un homme, violemment, d'un seul coup et cela fait très mal! Seulement cette boule dans ma gorge qui monte et descend en m'écorchant intérieurement.

Je prends ma petite mère dans mes bras et je la serre à lui faire mal! Alors, comme une averse bienfaisante, son chagrin crève le silence trop lourd de cette aube douce. Au-delà de sa mort, mon père reçut toutes les larmes d'amour que ma mère, par pudeur, n'avait jamais osé lui offrir.

Un rossignol chante, ma mère s'abandonne dans mes bras, père repose, enfin apaisé, détendu, le torrent gronde toujours. Je crois que je vais aimer la vie!

CHAPITRE 5

BALBUTIEMENTS –
YASMINA OU LA VIE

Depuis quelques mois je suis à nouveau étudiant. J'ai le sentiment que la vie a un goût inhabituel, comme cette herbe bizarre que l'on suçait, enfants, douce au début, puis amère. Nous l'appelions d'ailleurs « la douce-amère ». Non pas que je sois aigri, mais peut-être ai-je simplement pris conscience de façon plus tangible, des problèmes que comporte la vie et de ce qu'ils peuvent cacher. La dernière année se déroule sans heurts. L'époque du diplôme approche à grands pas. Nous nous préparons fiévreusement. Les épreuves se déroulent aussi aisément qu'un jour de classe.

Je sais, une semaine plus tard, que je sors quatrième de ma volée. Je suis nommé instituteur dans un petit village proche de chez moi. Le sport m'attire particulièrement et aussi souvent qu'il m'est possible, je prends des cours de perfectionnement pour devenir professeur de sport. Durant les premières vacances, je pars pour Macolin, où une école spécialisée forme des instructeurs diplômés. Cela dure plus d'un mois. Nous sommes tout un groupe d'enseignants. Le programme est très poussé et nous sommes littéralement anéantis le soir venu.

Quelqu'un pourtant retient mon attention. Une jeune fille de dix-huit ans à peine me fascine et m'intrigue. Bien que très sportive, elle est très féminine et belle. Ses cheveux auburn tombent en une longue

61

tresse épaisse jusqu'à ses reins. Son beau visage rond qu'animent des yeux gris-bleus, me trouble infiniment. D'un naturel déconcertant, elle reste simple avec chacun, tout en étant d'une gaieté surprenante.

Le premier jour, j'ai retenu d'elle ses yeux drôles et tendres et sa personnalité attachante, ponctuée d'éclats de rire aussi frais que les cascades de ma vallée. Après quelques jours, je suis décidé à tout pour mieux faire sa connaissance.

Je la cherche en vain dans le chaud crépuscule de l'été, me promenant dans les allées du parc, lorsque soudain, un monstre pétaradant me frôle et s'arrête un peu plus loin. Une de ces merveilleuses motos dont je rêve depuis longtemps.

Un jeune homme mince, botté, casqué, à la combinaison de cuir noir, en descend. Il assure sa moto, enlève le casque, et une longue natte foncée tombe dans son dos. C'est donc la belle amazone que j'admire tant.

Ainsi elle ne se contente pas d'être sportive, elle conduit aussi une grosse BMW et en 1930, ce n'est guère courant. C'est même la première fois que je vois une femme en maîtriser une, et qui plus est, en tenue de motard. Etrange petit bout de femme qui me surprend et fait battre mon cœur de façon inaccoutumée.

Je ressens enfin cette émotion que tant de fois j'ai attendue et espérée. Mais n'est-ce pas une utopie ? Eprouve-t-elle seulement de la sympathie pour moi ? Je m'approche et elle m'accueille avec un merveilleux sourire. Nous convenons d'une sortie ensemble.

Alors commence pour moi une période calme et heureuse, d'attente, d'émotion, de joie, d'insouciance aussi, car pour le moment, nous n'avons ni l'un ni l'autre de soucis matériels.

La période des vacances tire à sa fin. Nous allons tous deux reprendre nos chemins différents. Elle repartira dans le Jura neuchâtelois, enseigner dans un tout petit village surnommé « la Sibérie » de la Suisse. Elle a une classe composée de quinze élèves de sept degrés différents. Dure charge pour une si jeune enseignante. Moi, je repartirai dans mes montagnes où l'hiver est aussi rude, retrouver mes vingt élèves.

La nostalgie est dans l'air à l'idée de nous quitter. Il est bien tôt pour se prononcer sur nos sentiments réciproques. Nous nous promettons de nous écrire souvent et tenons parole.

Dans mon village, peu de choses ont changé.

Mon frère Jean-Marie, âgé de treize ans, s'occupe du bétail et moi des champs durant mes heures de congé. Ma mère continue sa rude vie de paysanne, avec quelques charges en moins. Il lui reste à organiser la pension avec Léonie, et à entretenir le jardin potager. Mais je sens bien que sa vie reste la même. On ne perd pas d'un jour à l'autre des habitudes accumulées en quarante-cinq ans de dur labeur et de privations. Ma sœur quittera bientôt la maison pour se marier. Elle habitera le village, mais pour ma mère, cela ne représente guère qu'une nouvelle étape à franchir.

L'automne de ma majorité est particulièrement beau. Peut-être, parce que, pour la première fois, je le partage.

L'écriture est un lien qui tisse nos vies à distance. Je sens Yasmina toujours plus proche. Je lui raconte les mazots ployant déjà sous la neige, le soleil rare mais si réconfortant, les luges à bois appelées « bréchanes » que l'on essaie de diriger sur les pentes en les retenant. Je lui offre les chamois venant à l'orée du bois chercher le foin que nous leur déposons, les montagnes, tour à tour éclatantes de blancheur, où rougeoyantes, sous la blessure du soleil couchant, je lui offre enfin l'âme de ma vallée et ma tendresse fougueuse.

Elle de son côté, m'apprend son Jura presque plat, mais sans monotonie, les fermes basses, les mètres de neige et le froid sec, bien plus vif encore que chez nous. Elle me raconte l'étonnement du pasteur, lorsqu'elle se présente à lui en pantalon. Il la sermonne, il parle d'exemple que l'institutrice doit donner, de scandale, de trop grande émancipation! Alors j'apprends que ma petite neuchâteloise est aussi têtue que moi!

Elle ne désarme pas et décide que cette tenue est plus pratique pour l'hiver, malgré l'opinion des autres. Son entêtement n'est pas pour me déplaire. Sans avoir jamais vu ses proches, je connais maintenant sa famille. Elle éprouve une grande tendresse pour chacun. Son père et sa mère sont directeurs de l'orphelinat de la Chaux-de-Fonds. Cela a toujours été pour elle l'équivalent d'une grande famille, ses parents partageant leur amour entre une cinquantaine d'enfants. Sa sœur aînée, Alice, se dévoue à longueur de journées pour le bien-être de ses petits. Depuis sa plus tendre enfance, elle a appris à partager. Nombreux sont ceux qui, volant de leurs propres ailes, reviennent au nid pour aider les plus jeunes, ou simplement pour se retremper dans cette chaude ambiance. Ils restent tous très attachés à leur famille d'adoption. Aux vacances de Pâques, je veux emmener Yasmina dans mon village. De mon côté, je brûle aussi de connaître tout ce qui fait partie de sa vie. Nous sommes tellement différents et tellement proches à la fois.

Une nouvelle année s'écoule, calme et riche d'émotions. Au fil des jours, dans chacune de nos lettres, nous laissons les sentiments prendre le pas sur les banalités. A l'approche de Pâques, Yasmina insiste pour que je me rende dans son Jura. Elle tient beaucoup à me présenter ses parents et ses cinq frères et sœurs. Je me vois donc contraint d'expliquer à ma mère la raison de mon absence durant trois jours. Elle admet difficilement, mais finit par donner son accord.

C'est le cœur battant la chamade, que je débarque après ce long voyage, sur le quai de gare de la grande ville horlogère. Je cherche en vain un petit bonhomme en pantalon, mais à ma grande surprise, une jeune femme élégante, enveloppée d'un grand manteau clair à col de renard, chaussée de ravissants botillons, s'approche de moi.

Nous nous regardons l'espace d'un instant, et je lui ouvre mes bras. Nous restons éblouis une petite éternité, fous de joie, oubliant les autres. Quand je reprends mes esprits, un monsieur grisonnant très élégant, nous sourit, une main dans la poche, et l'autre triturant son chapeau. En regardant à nouveau Yasmina, je comprends à son air complice, qu'il s'agit de son père. Voyant mon air gêné et un peu surpris, elle libère une cascade de rire, prend ma main en s'approchant de lui.

— Alors, c'est vous le voleur de tranquillité? Bienvenue chez nous!

Son imposante et noble moustache, dissimule mal sa jovialité. Ses yeux gris bleus donnent une grande douceur à son visage.

Une cariole à cheval nous attend. Une fois installés, Yasmina nous recouvre les jambes de chaudes peaux de moutons et de couvertures. Les clochettes du harnais, tintinabulent dans le soir. Le martèlement des sabots est atténué par la couche de neige encore épaisse. Nous nous taisons, mais le bruit de nos cœurs doit s'entendre

65

des kilomètres à la ronde. De temps en temps, nous avons droit à un clin d'œil affecteux de notre cocher. La route est longue jusqu'à l'orphelinat. Le pauvre cheval peine dans la grande montée de la rue de la Charrière. Nos mains se parlent, s'apprennent, s'enlacent, nos yeux se noient dans la clarté de notre jeune amour. Ils s'interrogent, s'auscultent, se répondent. Les mots seraient trop vides et nous les banissons. Le silence de son père est réfléchi, protecteur. Décor princier de la nature ouatée, resplendissante. Les squelettes des arbres alourdis et penchés, nous font une curieuse escorte et semblent attendris. Nous arrivons sur la grande allée de la maison. Curieusement, très vite, je suis intégré, sans m'en rendre compte, à cette grande famille. J'ai le sentiment d'en avoir toujours fait partie, de retrouver des amis quittés la veille.

Je les compare aux gens de chez nous, méfiants, froids, fiers de prime abord; il faut mériter leur confiance, après, bien sûr, elle est acquise pour toujours. Mais ici, tout paraît simple, naturel, évident, le bonheur, les sourires, la chaleur des regards, ce besoin de communiquer rapidement.

Je tente de mettre un nom sur les visages de ses frères et sœurs. Avec les filles, pas de problème. La plus petite, c'est l'aînée, Alice. La grande c'est Aline. Pour les frères, la situation est plus embrouillée. Albert? Charles? Emile? J'ai inversé les noms, mais on ne m'en tient pas rigueur.

Je passe une semaine merveilleuse dans un autre monde. Les paysages sont curieux, sauvages, très étendus. Ces fermes complètement isolées les unes des autres par des mètres de neige en hiver, sont si accueillantes! Si vous y entrez, vous recevez d'un seul coup toutes les chaleurs du monde. Celle du cœur, celle

66

des regards, celle des mains, celle des grands feux de cheminées ou des fagots entiers craquent, chantent, et sur lesquels mijote un repas.

J'aime son pays autant que le mien, cependant je me demande d'où viennent ces nuances de caractère? De nos terres si différentes aussi?

Les nôtres dures, arides, avares de cultures; les leurs, riches à terre tourbeuse et féconde. Les climats n'en restent pas moins rudes tous les deux.

C'est le cœur gonflé d'un immense espoir que je rentre au village. Mère ne me pose pas trop de questions, mais je comprends à son regard qu'elle a tout deviné de mes sentiments. Je sais aussi que je resterai toujours pour elle, le gamin d'autrefois.

Deux ans durant, nos lettres se suivent à une cadence accélérée. Nous n'avons pas vraiment le sentiment d'être éloignés l'un de l'autre. Puis, vient le jour où nos fiançailles sont officiellement acceptées.

L'automne éclate de mille feux. Ce voyage représente une expédition pour ma mère, qui n'a guère dépassé Martigny durant toute sa vie.

Elle ne dit pas grand-chose de tout le voyage. Je sens pourtant que le Jura dans son arrière-automne, la séduit aussi, et l'étonne à la fois.

Toute la famille de Yasmina lui réserve un accueil chaleureux. Mais le côté sauvage de mère prend le dessus et cette immense timidité la fait rentrer dans sa coquille. Les autres ne désarment pas et redoublent de gentillesse. Finalement, les parents de Yasmina la voient fondre comme neige au soleil. Une nouvelle fois, j'aurai vu maman se laisser aller au bonheur. Courts instants de sa vie, mais intenses.

Je crois que le temps a tourné ses pages pour nous, j'arrive au chapitre heureux. Cela peut-il durer?

CHAPITRE 6

EBAUCHES

En automne, je suis nommé professeur de sport de deux collèges à Sion, je vais enfin pouvoir offrir une vie confortable à celle que j'aime et qui deviendra ma femme aux environs de Noël. Tout à mes projets, je me lance à la recherche d'un appartement. Sans beaucoup de peine, j'en trouve un à proximité de mon travail.

Les préparatifs du mariage deviennent fiévreux. Yasmina vient un jour pour approuver mon choix.

C'est la fin de l'automne et j'en profite pour faire découvrir à ma fiancée le coteau aux vignes multicolores. Un petit vent ébouriffe et emmêle nos cheveux. Des heures durant, nous nous promenons silencieux. Les premières neiges enveloppent déjà les sommets voisins. Les tons fondus des gammes de vert, de bruns, d'ocre, rendent les forêts plus douces au regard. Le Rhône dévide inlassablement son écheveau d'argent au creux de la plaine. Les vignes murmurent sous le vent, les feuilles d'or gémissent sous nos pieds. Le temps s'égrenne trop vite quand on s'aime. Les jours fuient à une allure vertigineuse. C'est la course aux démarches pour le mariage. La cérémonie a lieu le surlendemain de Noël dans mon village.

La nature déploie d'étonnants talents, le givre se surpasse et rebrode les mélèzes de dentelles fabuleuses. Je tente d'obtenir de ma mère qu'elle adopte une robe un tant soit peu colorée. Non, rien n'y fait, elle gardera sa robe noire, un point c'est tout. Je renonce et n'insiste pas, car je la sais encore plus têtue que moi.

Dans le village, l'effervescence est grande. Les gens se demandent de quoi aura l'air la jeune institutrice étrangère. Chacun de notre côté, nous passons notre dernier Noël parmi les nôtres. Je suis calme et recueilli, un peu angoissé aussi. Saurai-je ne jamais la décevoir? La vie ne peut être éternellement clémente. Alors?

Une chose me dérange dans la cérémonie du mariage. Une phrase que je n'aime pas: «pour le pire». A-t-on le droit à l'avance, d'exiger de l'autre qu'il accepte sans condition cet éventuel «pire»?

Le matin du 26 décembre, nous nous rendons à la petite gare, pour accueillir toute la nouvelle famille. Dans les alentours, de nombreux curieux sont cachés derrière leurs volets. On ne peut pas leur en vouloir. C'est leur façon à eux, un peu primitive, sauvage, de me témoigner leur amitié, je le sens bien.

Le petit train rouge gravit en crachotant et en sifflant, les derniers mètres de pente. Puis, il ralentit sur le replat, s'arrête enfin!

Il m'est impossible de distinguer Yasmina derrière les vitres complètement opaques de givre.

La porte s'ouvre, quelques personnes descendent. Je cherche des yeux le contrôleur, un ami, qui doit m'apporter le bouquet blanc commandé à Martigny. Enfin, le voilà.

A peine le bouquet reçu nos regards s'accrochent et je la vois descendre lentement les deux marches. Nous nous retrouvons. Sa joue chaude et son souffle dans le creux de mon cou glacé, me troublent. Le temps peu bien s'écouler, plus rien n'a d'importance que nos retrouvailles heureuses et impatientes.

Son rire cristallin me parcourt délicieusement et je regarde avec bonheur, les petits ronds de buée que sa bouche libère.

De très gros flocons se mettent à tomber et nous levons la tête pour les happer, la bouche ouverte, comme des gosses. Ces étoiles blanches échouent sur nos visages en froids baisers subitement liquéfiés.

On me tire par la manche et me ramène sur terre. Je rencontre le regard désapprobateur de ma mère.

— N'as-tu pas honte ? As-tu bientôt fini de faire l'enfant ?

Nous sourions et Yasmina embrasse maman, peu habituée aux démonstrations de tendresse. Elle la dévisage d'un œil critique. Je retrouve avec joie ces frères et sœurs et mes beaux-parents doux et calmes. Ma sœur, son mari et mon frère, intimidés, sont très vite pris en charge et mêlés à ses frères et sœurs.

Nous reprenons tous le chemin de la maison. Les plaisanteries fusent de tous les côtés. Yasmina s'appuie sur mon bras, malgré ses bottillons chauds, elle glisse et frissonne. Comme elle est belle ! Je suis fière d'elle. Son grand manteau roux bordé de renard lui bat les chevilles. Elle a ramené sa grande tresse d'un côté à l'autre de sa nuque en un grand chignon. Son visage est encadré par les cheveux en bandeaux sur ses oreilles. Elle est grande, mince, et avec ses talons, nous sommes de la même taille. Le regard que lui prodiguent les gens est éloquent. C'est de l'étonnement mêlé d'admiration. Au coin des mazots, je surprends Olga qui nous sourit amicalement. Plus loin, cette pauvre Céline nous observe en s'essuyant les yeux. Elle avait donc toujours un espoir ?

Ma famille d'adoption admire et commente tout au long du chemin ce qui les surprend. Pour leur première journée valaisanne, nous leur avons prévu des mets typiques. Tout d'abord, la viande séchée et le pain de seigle puis la raclette au feu de bois avec le fromage d'un de nos alpages. Le soir, nous leur faisons la célèbre soupe aux oignons, au pain rassi et au fromage cironné, dont j'avais beaucoup parlé à son père, et qui tenait absolument à la goûter. Tout le monde apprécie, ce qui ravit maman. Le grand jour se lève enfin. Ce matin, 27 décembre, la neige tombe toujours, tendre et moelleuse, donnant à la maison la plus banale, à l'arbre le plus laid, un aspect féerique.

Maman prépare sur un plateau, un petit déjeuner bien consistant pour Yasmina et le lui apporte.

Selon la tradition, j'ai l'interdiction d'entrevoir la mariée ce matin, avant d'être agenouillé à l'autel.

Ces coutumes sont inhumaines!

Je n'entends rien, et même l'animation qui règne dans la grande cuisine, me passe à côté. On doit presque me forcer à boire un café au lait bouillant.

Le long cortège s'ébranle. Je suis au bras de maman toute de noir vêtue, elle a un petit chignon strict et paraît très émue. Les familles nous suivent. Je me retourne dans l'espoir de voir l'élue de mon cœur.

Maman me remet sèchement à l'ordre. Les cloches sonnent à toute volée, actionnées frénétiquement par mon ami Lucien. Le joyeux carillon se répand dans toute la vallée. De nombreux villageois se joignent à nous.

La grande et froide église se remplit peu à peu. Le sacristain entame à l'orgue, une toccata et fugue un peu hésitante, mais tellement sincère et belle.

Le silence. L'espace d'un instant, mon sang s'arrête. J'entends le froissement de la longue robe sur les dalles de granit et le pas lent de mon beau-père, fort, sûr, avec pour écho, celui de Yasmina, léger, presque imperceptible.

Elle est à côté de moi. Le sang coule à nouveau dans mes veines. Ses yeux me réchauffent. Elle est irréelle dans sa robe champagne de crêpe flou, aux manches larges, resserrées aux poignets par des boutons de perle. Sur sa tête, un petit bouquet de fleurs d'oranger, duquel s'échappe un long voile. De ravissants brodequins de satin blanc complètent le tableau. Mais que ses pauvres pieds doivent avoir froids! Une vraie gravure de mode de ces années 1933, avec en plus, la vie et le charme.

Une fée, qui sera mienne bientôt, comme je serai sien.

Elle dépose le bouquet de roses blanches vers l'autel et s'agenouille à mes côtés.

Une voix soudain:

— Voulez-vous prendre pour épouse...

— Oui.

— Voulez-vous prendre pour époux...

— Oui.

Comme deux colombes prenant leur envol, nos «oui» s'élèvent dans la grande nef. Nous échangeons nos anneaux «pour le meilleur et pour le pire».

Maintenant, je ressens une évidence. «le pire» quand on aime ne peut être bien terrible. On doit pouvoir l'annuler.

A la sortie, tout le monde nous assaille. Après avoir embrassé les proches, Yasmina lève les yeux et regardant autour d'elle:

— Accordez-nous trois minutes, excusez-nous.

Avant que je ne comprenne, elle me prend par la main et d'un pas rapide se dirige vers le cimetière, sans un mot. Nous traversons le pont couvert qui enjambe le torrent, presqu'inexistant à cette saison. La neige crisse sous nos pas. Le portail grince. Yasmina avance entre les tombes, me tenant toujours la main. La neige monte jusqu'à mi-mollets. Elle doit être transie avec ses souliers. Comme je l'aime en ce moment, foulant la neige en relevant sa robe, trébuchante, belle, touchante.

Elle dépose les roses blanches sur la tombe de mon père et se met à genoux dans la masse froide.

— Je vous promets de lui être fidèle, toujours. Quoi qu'il puisse arriver. Aidez-nous!

Je la relève avec toute la tendresse possible et lui nettoie sa robe. Son visage est empreint d'une gravité étrange.

— Pourquoi dis-tu cela? Penses-tu que cela sera dur de m'être fidèle?

Elle me sourit, retrouvant son visage d'enfant.

— Bien sûr que non, puisque je t'aime, mais la vie, des fois. On ne connaît pas toutes les cartes.

Nous rejoignons les autres. Maman semble ébranlée par son geste. Elle lui découvre du cœur et cela la surprend de la part d'une citadine.

La journée s'écoule divinement, mais nous avons hâte qu'elle finisse. Nous voudrions être seuls, enfin!

Tous ces préparatifs et la cérémonie appartenaient à un autre monde, comme si nous étions en état second. Puis il y a ces jours inhabituels d'installation, où l'on se côtoie comme des ombres, où l'on ne réalise pas encore tout à fait qu'une page est tournée, que l'on vit ensemble, totalement, un peu nerveux, inquiet, ne sachant si l'objet que l'on tient en main, plaira mieux ici ou là-bas, si l'on correspond bien à l'image que l'autre se faisait de nous, si l'on représente enfin cet idéal tant convoité?

Je suis impulsif, volontaire, têtu: elle est la femme douce, attentive, mais cependant déterminée.

Après quatre mois, je trouve Yasmina bien pâle! Elle n'a plus d'appétit, elle maigrit. Elle m'assure que tout va bien, avec un timide sourire. Au fond de ses yeux, une lassitude inconnue.

A quelques jours de là, lorsque je franchis le seuil, l'appartement m'apparaît transformé, partout des bougies, des reflets innombrables dans les miroirs du salon.

Intrigué, j'entre sur la pointe des pieds, et Yasmina, radieuse dans sa longue robe-fourreau bordeau m'ouvre ses bras.

— Serait-ce un jour de fête? Un oubli de ma part?

— Oui, une grande fête, mais tu ne pouvais pas savoir. Viens, assieds-toi.

J'embrasse sa main et prends place auprès d'elle. Elle me tend une petite boîte enrubannée. L'ouvrant, je suis ému aux larmes, en prenant dans le creux de ma main, deux minuscules petits chaussons blancs.

— C'est vrai? Fabuleux!

Je prends Yasmina dans mes bras et je chante à tue-tête en tournant comme un fou. Je l'admire et la remercie de son présent.

Mes moyens sont encore fort limités, mais elle fait des prodiges avec rien. Le petit souper d'amoureux devient festin! Nous ne renonçons pas pour autant à nos chevauchées sur ma grosse moto. Yasmina adore ces évasions qui ne grèvent pas trop notre budget et nous donnent l'impression de beaucoup voyager. J'ai enfin concrétisé mon vieux rêve.

Chaque jour de congé est prétexte à de nouvelles découvertes. Cette année-là, septembre resplendit de tous ses feux. Nous partons en direction du large, côté

Crans-Montana. Nous prenons les contours à la corde. Une véritable course de côte! Jusqu'au moment où nous sommes coincés derrière un gros camion puant, nous déversant tous ses gaz d'échappement à la figure. J'enrage et Yasmina tente de me calmer en riant. N'y tenant plus, dans une épingle-à-cheveux, je m'élance sur le talus par un chemin pédestre, afin de le rattraper. Très fier de moi, je tourne un peu la tête pour lui parler.

— Tu vois, il n'y a que le culot qui paie! Cet imbécile ne voulait pas me laisser passer et maintenant il s'arrête derrière moi. Tu y comprends quelque chose?

— ...

— Tu as compris?

— ...

— Mina, je te parle, réponds. (c'est le diminutif que je lui donne)

— ...

— A quoi tu joues?

Je me retourne pour de bon: Le siège est vide!

Ainsi, dans ma petite séance de moto-cross, j'ai largué par-dessus bord, ma femme et mon futur enfant.

Je freine violemment et reviens en arrière. Je me fais copieusement engueuler par le chauffeur du car, assis au bord de la route, Mina sur ses genoux.

Elle pleure et je m'inquiète.

— Vous n'êtes pas cinglé, espèce de criminel! Risquer ainsi de tuer sa femme pour des fantaisies? Vous êtes content maintenant? Et si elle est blessée?

— C'est vrai, je me suis conduit comme un crétin.

Nous repartons finalement, Mina calmée. Encore heureux qu'il n'ait pas deviné qu'elle est enceinte. Je suis cependant franchement inquiet. Tout en rassurant mon épouse, je décide de l'emmener chez le médecin pour un contrôle. Je roule prudemment

Par chance, l'enfant n'a rien et Mina souffre seulement du coccyx. Mais ce pénible souvenir lui restera longtemps en mémoire.

 Petit à petit notre vie change. Nous nous habituons à l'idée que bientôt nous ne serons plus seuls. J'ai de plus en plus de charges au collège lorsque l'on me propose le poste d'inspecteur cantonal de sport. La condition à l'obtention de ce poste, est de faire une année d'études à l'université de Bâle.

Comment concilier les obligations familiales avec ma vie professionnelle?

Longuement, nous retournons le problème dans tous les sens. Finalement, une solution intéressante est trouvée et adoptée.

L'Etat me donne une année de congé et m'assure un minimum de salaire, ce qui me permettra de garder l'appartement. Mina retournera chez ses parents pour deux semestres. Mes beaux-parents assurent aussi le montant nécessaire à mes études. C'est réconfortant de penser que l'avenir deviendra plus intéressant. Au printemps prochain, je commencerai donc mes études à Bâle, après la naissance de l'enfant.

Mina me fascine. Je la trouve toujours plus belle. Elle rayonne dans son état d'espérance. Elle reste mince, à tel point que je me demande où elle cache l'enfant. Ses yeux brillent d'un éclat nouveau, ses pommettes sont plus marquées et sa démarche est devenue un peu incertaine.

A la fin janvier, une petite fille nous arrive, vraiment très petite, que Mina prénomme Marcelle.

Le printemps revenu, ma femme et la petite partent pour le Jura.

Ma vie d'étudiant s'organise rapidement. J'ai trouvé une chambre mansardée sous les toits de la vieille ville. Très souvent, par mesure d'économie, je dîne d'un sandwich et d'un verre d'eau, et mon repas du soir se résume en une paire de cervelas accompagnés d'une bière.

La ville de Bâle est pleine de richesses que je découvre au fil des jours. Les gens y sont très ouverts et l'ambiance cosmopolite. Avec l'appui de l'Etat, j'ai trouvé un travail de quelques heures par jour dans un lycée. J'allège ainsi le tribut de mes études. Le vendredi soir, je rejoins ma famille du Jura, ce Jura que j'apprends à aimer à force de le parcourir. Chaque forêt suggère un nouveau paysage, chaque vallon amène une image imprévue, une douceur inattendue au regard. Des chevaux sillonnent les pâturages au petit trot, indifférents aux bruits des tacots et des motos.

Chaque jour je m'étonne de cet amour intense et doux que nous éprouvons. Je ne suis pourtant pas toujours facile de caractère et cette année, Mina doit se résigner à d'importants sacrifices. Mais je la retrouve toujours accueillante, souriante, vivante.

Pour que le temps lui paraisse moins long, elle a renoué avec l'orchestre de sa ville, dans lequel elle joue du violon. Je suis conscient que sa vie n'est pas drôle tous les jours. Elle vit déjà des difficultés alors que je m'étais promis le contraire. Mais l'amour n'est-il pas justement cette abstraction de soi-même, cette volonté de faire plaisir à l'autre, de chercher le bonheur de l'autre ? Elle me l'apprend, elle me le prouve à chacune de nos retrouvailles et je lui en suis infiniment reconnaissant. De mon côté, ne vais-je jamais la décevoir ? Saurai-je assez l'écouter et l'aimer, devancer ses désirs ? L'aimer inconditionnellement.

Durant mes heures de solitude, j'ai tout loisir d'y penser. Si le bonheur ce n'est que ça, vivre en accord avec soi-même et l'autre, alors il est facile d'être heureux pour l'instant. Ce bonheur d'aimer, c'est aussi accepter l'autre, tel qu'il est, sans vouloir en changer une virgule ; c'est comprendre sans même se parler, car les mots, souvent, détruisent l'essence même de la pensée. Ou alors ils ne veulent rien dire et cela devient absurde.

L'amour c'est être à l'écoute de l'autre, c'est découvrir des charmes cachés, c'est avoir envie de participer aux choses qu'il aime, c'est se passionner pour ce qui le passionne. C'est reconnaître et apprécier ses talents aussi divers soient-ils, au risque de heurter notre amour-propre. L'amour doit être parsemé d'imprévus. C'est cueillir ensemble le premier muguet, c'est courir dans les feuilles mortes, c'est lâcher en quelques secondes toutes les obligations, simplement parce que le besoin de prendre l'autre par la main est le plus fort. C'est se créer une carapace de tendresse indestructible. C'est recevoir un caillou merveilleux avec autant de bonheur qu'un diamant, parce qu'il était le plus beau sur le sentier et que l'autre vous l'offre. C'est la chaleur d'un premier regard le matin, c'est le creux de l'épaule recevant sa nuque chaude sous les cheveux épars, c'est ses cheveux très longs qu'elle jette négligemment derrière elle sur l'oreiller. C'est l'envie de la caresser inlassablement. C'est son corps près du mien, unique, irremplaçable, c'est nos yeux regardant au-delà de nous et s'embarquant pour le même fabuleux voyage.

Je craignais que cette année de séparation ne nous atteigne, ne nous perturbe. Mais c'est l'inverse qui se produit. Le deuxième semestre tire à sa fin et notre bonheur est réel, renforcé, intense.

Notre fille fait d'énormes progrès. Déjà elle marche de ce pas hésitant, qui la rend attendrissante. A sa façon, elle amorce son départ dans la vie. Dans un mois, les derniers examens écoulés, nous retrouverons notre intérieur.

CHAPITRE 7

ESPOIRS

Imperceptiblement, tout est rentré dans l'ordre. Les inspections me prennent beaucoup de temps. A longueur de journées, je sillonne le Valais en tous sens. Au seuil de l'hiver suivant, une nouvelle atmosphère de fête m'attend au retour de mon travail. Cette fois, le gazouillement de celle que j'appelle mon pinson — Marcelle — anime la soirée. C'est elle qui m'apportera un paquet enrubanné, avec cette fois une bavette brodée.

Je garde longuement Yasmina contre moi, plus riche et palpitante de cette nouvelle vie à venir.

Peu de mots, tout passe dans nos regards, sentiment d'émotion intense et de bonheur indicible. Rappel à la réalité par notre premier pinson, qui lui réclame sa pitance.

Au printemps suivant, je reçois une proposition surprenante. On me demande de devenir le moniteur officiel de la future station de sports de Crans-Montana. J'avoue que la chose me plaît terriblement. L'inspectorat ne m'occupe que huit mois par année et, durant les quatre mois de vacances, je ne suis pas salarié. Cela risquait de poser un problème, que voilà résolu.

Début juin, les cours étant terminés, nous déménageons une partie de nos affaires à Crans, où les autorités nous ont trouvé un ravissant petit appartement. Je viens d'acheter notre première voiture, une Ford Eiffel noire, rutilante! Quelle expédition!

Les débuts de la station nous réservent bien du travail et beaucoup de surprises.

Tout d'abord, probablement bousculé par les transports et le déménagement, notre nouveau bébé a précipité sa venue, ce qui n'est pas sans nous causer des soucis. Notre fils, François, est frêle et surtout prématuré. Aucune couveuse, aucun hôpital à proximité. Le jour de la naissance je dois descendre d'urgence chercher la sage-femme à Sion.

Je dois parcourir soixante kilomètres à toute vitesse, pour revenir à temps pour l'accouchement.

Les choses se passent plutôt bien, mais la sage-femme nous donne des directives strictes à observer, pour mettre toutes les chances du côté du nouveau-né. Nous devrons le nourrir toutes les deux heures, jour et nuit, et maintenir dans la chambre une certaine température. Difficiles moments, car François est une véritable marmotte que nous devons sans cesse réveiller et forcer, et qui ensuite, est pris de crises de coliques violentes, ce qui provoque des hurlements à fendre l'âme. Nous ne savons pas comment le calmer, si bien que Mina passe des heures à le bercer. Cela ne l'empêchera pas de faire une sérieuse hernie. Nous l'avons couché dans une grande panière capitonnée, pour lui éviter les courants d'air. Nos nuits souvent sont courtes et nos cernes profonds.

Au cours de ce premier été, un concours de danse est organisé au Grand Hôtel du Golf.

Un jury donne des notes. On me demande de participer en tant qu'animateur de la station. Avec ma femme, nous nous sentons quelque peu dépaysés parmi tous ces gens très « collet monté ». Cependant nous nous faisons vite à la gentillesse que l'on nous témoigne. Soirée inoubliable et étonnante. Vers minuit, il ne reste que quatre couples à se mesurer dans des démonstrations de valse, de tangos. Un quart d'heure plus tard, nous ne sommes plus que deux couples. Pour nous départager, on nous demande de danser une valse viennoise, chaque couple sur un tabouret, sans nous arrêter de tourner, ni tomber, bien sûr! Mina est une danseuse parfaite et nous exécutons sans bavure la dernière épreuve. Nous sommes vainqueurs et avons droit à une fin de nuit enchantée avec champagne, fleurs, caviar et orchestre!

Bientôt, la direction du Grand Hôtel me sollicite pour remplacer un masseur, moi qui n'ai jamais appris ce genre de travail. Rendez-vous est pris pour le lendemain afin que la personne en fonction puisse m'instruire. Surpris, je reconnais un ancien camarade de Collège.

— Tu sais, ce n'est rien de bien terrible! Il s'agit seulement de relaxer ces gens de la haute après leur partie de golf, d'entretenir leur souplesse, ou de triturer l'embonpoint de quelque baronne en mal d'occupation.

— Mais tu es fou, je ne vais pas m'instituer masseur sans avoir jamais rien appris de la profession!

— Bien sûr que si, d'autant plus que j'ai affirmé à ces messieurs de la Direction que tu étais le remplaçant rêvé et j'ai chanté tes louanges. Tu verras avec ces snobs, pas de problèmes! Il faut les avoir au souffle et tu vas voir, la baronne a justement rendez-vous... je lui ai déjà parlé de toi.

Arrive alors une femme d'un certain âge, assez bien de sa personne, qui fait une véritable entrée en scène. On la sent habituée à briller et cela m'agace!

— Comment allez-vous, très cher? dit-elle en tendant une main charnue et gantée à mon ami, attendant le baise-main.

Mon ami s'exécute avec emphase. Tout ce théâtre est ridicule. J'espère qu'elle ne compte pas sur moi pour ces simagrées.

Elle se déshabille et cela tient plus du strip-tease que du simple geste. Avec effarement et un certain dégoût, je vois s'affaisser devant moi ce tas de chair flasque et répugnant, après qu'elle eut abandonné tous ses artifices. Et là, j'assiste à un subtil changement de mœurs, qui me laisse songeur. Ce mollusque, débarrassé de sa carapace se conduit alors comme l'eussent fait les hommes des cavernes! Comme si l'absence de vêtements la dispensait d'un seul coup de ses belles manières, de son parler recherché et de son éducation. Je suis écœuré par cette séance de massage sans convenance, avec des gestes et des paroles déplacés. La séance terminée, mon ami assène une magistrale claque sur l'arrière-train rebondi. La réaction ne se fait pas attendre; se retournant, elle lui envoie un direct digne des plus grands noms de la boxe! Mon ami y est allé trop fort et elle ne semble pas goûter à la plaisanterie. Rapidement, elle s'étrangle de nouveau dans ses habits et ignorant mon ami s'adresse à moi:

— J'espère mon jeune ami, que vous saurez être galant? vous serez payé de retour.

Elle quitte la pièce où l'autre reprend ses esprits, l'air embarrassé.

— Ben voilà ce qu'il ne faut pas faire.

— Je vois.

Je prends contact avec un masseur de la capitale et trois fois par semaine, je vais apprendre le métier durant toute la saison. J'ai l'impression que l'effort porte ses fruits, car on m'apprécie. Curieuses circonstances de la vie, qui nous font faire tant de métiers.

A fin septembre, nous reprenons domicile à Sion, où les cours recommencent. Nous engageons une jeune fille pour aider au ménage, ainsi Yasmina se fatigue moins et peut s'adonner à d'autres choses, comme le violon.

Dans la même maison, aménage un camarade d'Ecole Normale avec sa jeune épouse. Quel plaisir de se retrouver.

Nos femmes se découvrent plusieurs centres d'intérêt communs. Nous décidons de nous réunir deux fois par semaine pour jouer aux cartes, notre passion. Tous deux de caractère fougueux, nous nous faisons un plaisir de provoquer des discussions sans fin, de crier, de manifester notre désaccord, de pousser nos femmes à bout, jusqu'à ce que l'une d'elle fonde en larmes. Quel jeu idiot! Pourtant nous recommençons souvent et nos clins d'œil sont le signal de nos offensives. Ensuite nous les consolons. Il n'en reste pas moins qu'à chaque fois, nous promettons de ne plus aller jusque là, mais l'envie de taquiner est si forte que nos impulsions reprennent le dessus. Nous sommes conscients pourtant que notre attitude comporte une part de plaisir sadique à jouer de cette façon.

Nous nous entendons comme des frères. Cette amitié se consolidera au fil du temps et me sera souvent précieuse.

Un jour, en me rendant à mes cours dans le collège du bas de la ville, je remarque un jardin magnifique, entourant une grande maison ocre aux volets verts. Je m'attarde un peu, quelque chose m'attire. Une dame assez âgée vient vers moi à travers les plates-bandes de fleurs multicolores.

— Cette maison vous plaît?

— Enormément! Plus que ça: elle me parle!

— Elle peut être à vous si vous le désirez. Nous allons la vendre.

— Vraiment? Quel dommage pour vous.

— Oui, je l'aime et je vais y laisser un peu de mon cœur.

— Elle me tente, mais je n'ai pas d'argent.

— Vous devriez venir voir mon mari, je crois que vous pourriez vous arranger avec notre banque. Pour moi, je serais moins triste de la céder à quelqu'un de sympathique et de jeune. Je vous vois souvent lorsque vous allez à vos cours au collège, vous me plaisez beaucoup. Si vous voulez, venez demain soir, mon mari sera là et vous pourrez discuter.

En quelques minutes, je vois un vieux rêve se concrétiser. Je suis terriblement nerveux ce soir-là, et Mina n'y comprend rien. Le lendemain soir seulement, au retour de mon rendez-vous, je laisse exploser ma joie en lui annonçant sans détours, que dans deux mois, nous quittons cet appartement pour aménager « chez nous », dans une maison de trois étages et de huit pièces, hall, cuisine, bains, 3 WC et caves. Mina plus pondérée que moi me tempère quelque peu. Mais, comprenant que ma décision est prise et que le problème financier semble être résolu, elle accepte avec joie!

Alors, une nouvelle forme de vie commence, car il y a fort à faire avec le grand jardin et la maison.

J'entraîne les miens dans une sorte de tourbillon. Notre vie est une farandole. Notre existence n'a rien de statique.

Deux ans passent et c'est l'annonce de la mobilisation générale en raison de ce que l'on appellera « La drôle de guerre ».

Nous pensions partir pour quelques semaines, au plus pour quelques mois, mais le temps n'arrange guère les choses. Nos femmes reçoivent presque toutes une charge dans la ville. Les cartes de rationnement sont introduites rapidement, car partout, cela sent la poudre. Voilà qu'en février mil neuf cent quarante Mina se trouve enceinte pour la troisième fois. Cela nous préoccupe, bien sûr, mais que faire? Nous gardons l'espoir, qu'en fin d'année, la guerre sera terminée depuis longtemps.

Les mois passent sans apporter de changement. La situation s'aggrave en Allemagne, en Pologne, en France, en Italie. Je suis stationné tantôt aux frontières, tantôt à l'intérieur du pays. Souvent on me réclame pour l'entraînement physique des hommes du régiment.

En octobre mil neuf cent quarante, nous avons notre troisième enfant, une petite fille, Ariane. Je n'ai pu assister à la naissance. J'ai rejoins la famille pour deux jours de permission le lendemain. Mina s'est fort bien débrouillée pour cultiver un maximum de légumes dans le grand jardin, des poules et des lapins aident au ravitaillement. Mais quel travail cela représente!

Les temps sont durs pour chacun. L'inquiétude nous gagne. Par comble de malheur trois mois plus tard, Mina se casse la jambe dans les escaliers.

Elle reste seule avec les trois petits durant deux jours, puis sa sœur Alice vient nous dépanner. Efficace et silencieuse, elle s'affaire avec dévouement. Elle reste finalement quatre mois, afin que Yasmina se remette tout à fait.

Déjà nous sommes au printemps suivant. Chaque fois qu'une permission m'est accordée, je retrouve ma petite bande. La dernière commence à marcher. Les deux plus grands se rendent utiles à leur façon, au poulailler ou vers les lapins. Les animaux font la joie des enfants. Parfois, lorsque nous envoyons François chercher les œufs, il met beaucoup de temps à revenir et nous en trouvons bientôt la raison en découvrant des coquilles vides au fond du poulailler. Le gosse a vite retenu ma leçon pour s'en régaler. Ces petits extras permettent à ma famille de ne pas trop sentir le rationnement.

A l'approche de l'été mil neuf cent quarante-deux, Mina se sent peu bien. Je demande un congé spécial de trois jours pour rencontrer son médecin et la réconforter.

Ce congé ne m'est accordé qu'au début juillet, alors que je suis dans les environs de Monthey. Me rendant à mon cantonnement pour y prendre quelques affaires, je croise un groupe d'hommes au pas, avec à leur tête un ami. Celui-ci m'interpelle :

— Que fais-tu Marcel ?

— Je pars en congé, ma femme est malade.

— Ecoute, rends-moi service, un cours de deux heures à donner à mes hommes. Du sport. Tu comprends, et je n'ai jamais aimé ça ! Tandis que toi.

En plus, pour moi c'est la tuile. Figure-toi que je dois faire des démonstrations avec la troupe, devant des attachés militaires de pays étrangers ! Tu le feras mieux que moi, sans compter que ce sera sûrement filmé pour les archives.

— N'importe quand je l'aurais fait, mais aujourd'hui, impossible. Mon train part dans trente minutes.

— Tu prendras le suivant, allez charrie pas !

— Non, je ne plaisante pas

— Bon, puisque tu fais la tête de cochon, je te donne l'ordre. Je t'ordonne de donner ce cours ! Je suis ton supérieur hiérarchique et un ordre en temps de guerre ne se discute pas. Exécution !

Je le regarde surpris. Il a vraiment l'air déterminé. Sa colère me sidère. Il est donc sérieux ?

Ne voulant pas provoquer d'histoires, je décide de prendre le train suivant, mais je lui dis tout de même :

— Mon capitaine, cette permission je l'ai et je référerai plus haut de votre surprenant contre-ordre.

— Silence ! Messieurs, suivez-le, il vous donne ce cours.

Je ne suis que lieutenant hélas ! Je m'ébranle avec la colonne, furieux, mais pour l'instant, je n'ai rien d'autre à faire.

Arrivés au terrain de sport, qui en fait est une gravière, nous commençons un cours comme j'en ai donné des centaines. Au programme : le saut périlleux, que les hommes n'affectionnent pas tellement. Je le leur explique encore dans les moindres détails ; je décompose les mouvements, en démontrant finalement que, pour moi, ce n'est qu'une routine.

Tellement d'erreurs sont commises que je recommence à expliquer patiemment, malgré ma mauvaise humeur, et je m'élance à nouveau.

Que se passe-t-il ?

Des cris, des flashes, un coup de poignard dans le dos. Douleur intolérable. Nuit. Absence. Des visages penchés sur moi, l'horizon bascule. Des yeux effarés. Le vide. Un vide immense qui m'aspire, m'oppresse, me happe !

Que suis-je ? où suis-je ? J'ai l'impression que mon corps se détache de moi. Je n'entends plus que des murmures, puis une alarme stridente d'ambulance. Des pas. On tente de me soulever, alors l'effrayante douleur reprend et du plus profond de mes entrailles, j'extirpe un hurlement de bête qui me vide. Je coule à pic, noyé dans l'abîme de l'inconscience.

DEUXIÈME PARTIE

L'arrière-vie

CHAPITRE 1

Extrême-onction... Allumez les bougies...

Le temps n'a plus de prise sur moi puisque je suis l'absence même, le néant. Pourtant du fond de ma nuit, je les entends qui veulent m'enterrer. Et mon corps, cette chose inerte, tel un boulet accroché à mon âme, se révolte. Que faire? Où trouver la force de mouvoir visiblement ce bloc de pierre habité de désespoir.

J'entends des chuchotements, des gens qui s'éloignent, la porte. Puis un pas discret s'approche de la carcasse et, au frottement de la cornette sur le drap, je devine qu'il s'agit d'une sœur. Elle s'installe pour veiller et approche une chaise. L'odeur des bougies me glace encore plus. Une voix, très doucement, commence les prières. Mais ce sont celles des morts, en latin!

Réagis donc, restant d'homme! Mais où trouver la vigueur de bouger imperceptiblement mon petit doigt sur le drap? La veilleuse psalmodiant les litanies n'a rien remarqué. Je me suis vidé du peu de force que j'avais. Si seulement quelques larmes coulaient de mes yeux et témoignaient de mon angoisse! Mais rien! Tout ce qui n'est pas mon âme est devenu désert, sans vie.

Alors, puisque tout est fini, que la mort me prenne vite! Cette attente est insupportable.

Au bout d'un moment, que je suis incapable d'évaluer, plusieurs personnes marchent autour de mon lit.

Les voix me parviennent lointaines, à peine audibles. Une atroce odeur de fleurs et d'encens amène un avant-goût de mort. Je ne veux pas, je ne veux pas!

Yasmina, Marcelle, François, Ariane, vous avez encore besoin de moi et moi de vous! Donnez-moi un peu de vie!

Quelqu'un demande une minute de silence pour le salut au mort. Cette minute, je dois en tirer parti! Je dois arriver à franchir le passage périlleux de l'avant-mort à l'arrière-vie. Je dois m'enfanter moi-même une nouvelle fois, il le faut. Le tremplin m'attend! Et je vais faire le saut de l'ange comme je l'ai fait souvent. Mais cette fois sans bavure, sans erreur, sinon je me romps le cou à jamais.

Le silence de la chambre m'étourdit. Je rassemble à nouveau ce que je peux de force et, lentement, désespérément, je griffe le drap de mon petit doigt.

Cette fois je suis sûr que le bruit a été entendu car sa résonance me laboure jusqu'à l'insoutenable. Cet effort de quelques secondes m'épuise.

Alors, j'entends un cri!

— Mais Docteur, il a bougé! Je suis sûre qu'il a bougé!

— Vous êtes folle, ce sont des réflexes nerveux!

Les autres se taisent. Moi je sens que ma vie va recommencer ou s'arrêter vraiment. Alors dans un sursaut de volonté, je recommence et recommence encore.

A ce moment-là, un cri est sorti de moi. Parce que j'ai brisé mon linceul placentaire, parce que je vis, parce que la mort s'éloigne enfin!

— Mais vous devez avoir raison. C'est très étrange. Monsieur! M'entendez-vous? Si oui, essayez encore de bouger un doigt.

Un semblant de force m'est revenu, et je recommence, heureux. Enfin!

Le médecin m'entr'ouvre un œil, il y projette sa lampe sur ma pupille.

— C'est vraiment étrange. Cliniquement il était mort. C'est comme si la vie revenait. Ce cas est très intéressant.

Quelqu'un intervient pour que l'on enlève les bougies et les fleurs. Dans l'émotion, personne n'y a songé.

Comment se fait-il que Yasmina ne soit pas là?

J'arrive à articuler «ma femme».

La sœur se précipite dans le corridor, lorsqu'elle revient, j'apprends que Yasmina est en route.

Je ne bouge plus afin de récupérer mes forces.

Une étrange douceur me parcourt le visage. Un peu de fraîcheur. Comme une source qui apaise les brûlures de mon corps.

Je parviens à entr'ouvrir les yeux, et je rencontre dans ceux de Mina, toute la tendresse du monde. Doucement, elle couvre mon visage de petits baisers, elle caresse mes cheveux devenus moites.

J'essaie de dire quelque chose, mais plus aucun son ne sort de ma bouche. J'ai pourtant le sentiment de toucher enfin au port. Je ne suis plus seul. Je suis encore très affaibli et parfois, de courts moments, je touche à nouveau l'inconscient.

Dans la soirée pourtant, je parviens à demander à Mina:

— Les enfants?

— Ne t'inquiète pas, Alice est arrivée ce matin, je peux rester avec toi. Ne parle pas, reste tranquille, tout ira bien.

— Tu as su? Les bougies, l'extrême onction?

— Oui, chéri, mais tu vois, tu as gagné! repose-toi.

— Crois-tu que je vivrai?

— Mais évidemment, ce n'est plus qu'une question de patience. Chut!

Je tourne et retourne une multitude de questions dans ma tête. J'ai retrouvé l'usage de mes bras. Depuis un moment, on m'a fixé un goutte à goutte. Les forces me reviennent doucement. J'entends les conversations murmurées des médecins et je comprends que je n'en ai plus que pour quelques semaines à vivre. Ainsi, il va falloir tout organiser avant. Penser à la vie de Yasmina seule avec les enfants. Dire que je lui voulais une vie facile!

Se doute-t-elle vraiment de ce qui l'attend?

Elle organise notre vie à l'hôpital. La douleur ne me quitte pas. J'ai réclamé mon médecin de Sion. On me fait de belles promesses mais on a l'air de me prendre pour un doux fada. Je me rends compte de la quantité de médicaments que je dois ingurgiter chaque jour. Le goutte-à-goutte toujours arrimé à mon bras, la bouche pâteuse, je commence quand même à avoir faim. Je n'ai droit qu'à une pâle soupe blanche chaque jour. Personne ne m'a bougé depuis l'accident car mon mal est trop grand et ils attendent la fin qui tarde et tarde encore!

Maintenant, je n'y tiens plus. Quand nous sommes seuls, je demande à Yasmina de se mettre à genoux sur mon lit, une jambe de chaque côté de mon corps, et d'essayer, en appuyant, de découvrir avec sa main, ce qui me fait si mal au dos. L'opération s'annonce difficile. Finalement, en appuyant de tout son poids d'un côté, puis de l'autre, elle parvient à glisser sa main sous moi. J'ai si mal que je serre les dents.

96

— Ce n'est pas croyable, Marcel, tu as encore des graviers incrustés dans la peau, tu es couché dessus depuis douze jours... C'est affreux! J'ai de la peine à les extraire, pardonne-moi si je te fais mal.

Il lui faut presque une demi-heure pour, délicatement, enlever ce qui me blesse tant. C'est l'heure de la pose du personnel et Mina trouve elle-même de quoi me soigner. Puis elle s'installe sur le fauteuil près de moi et me prend la main.

— Repose-toi, je vais te parler des enfants. J'ai beaucoup de choses à te dire.

Sa voix m'apaise et j'oublie un peu le mal qui me torture et me fouille. Je finis par m'endormir. Quand j'ouvre les yeux, Mina est penchée tout au fond de ma table de nuit et semble chercher quelque chose. Puis, sous le lit, puis dans l'armoire. Elle croit que je dors, et je l'observe. Elle paraît vraiment contrariée, intriguée.

— Qu'y-a-t-il ma chatte?

Elle se retourne étonnée et me dit:

— Pardonne-moi, mais j'ai pensé que quelque chose pourrissait dans ton armoire, un fruit ou autre chose, je ne sais pas. Mais je suis obligée de reconnaître que cette odeur n'est sensible qu'à proximité de ton lit. Il faut que je contrôle.

Et Yasmina enlève ma couverture. A ce moment-là, une odeur fétide agrippe mes narines.

— Cramponne-toi mon chéri, il faut que je t'enlève complètement ton pantalon de training. Depuis le jour de l'accident, ils ne sont contentés de le descendre à moitié pour tes besoins. Il faut absolument que je regarde.

Avec d'innombrables précautions, elle descend mon pantalon. Depuis la taille, mon insensibilité est totale.

97

Je ne souffre pas trop, si ce n'est à cause des mouvements qui se répercutent dans le haut du corps. Je vois passer de la révolte dans les yeux de Mina.

— Qu'y-a-t-il?

— Il y a que tes genoux sont tellement écorchés et infectés, qu'ils répandent cette odeur!

Elle se hâte pour chercher à nouveau de quoi me soigner. J'entends son pas s'éloigner dans le corridor, précipitamment, puis revenir. Qu'il est doux à travers cette incertitude de vivre, de la sentir près de moi! De recevoir ses soins attentifs, tendres et efficaces. Que serais-je sans elle?

Délicatement elle désinfecte mes plaies, cela lui prend beaucoup de temps. A deux reprises, elle doit prendre l'air, car l'odeur lui soulève le cœur. Elle est pâle et son visage est crispé. Pauvre Yasmina! Elle semble s'accrocher à ma vie avec beaucoup d'espoir et de conviction.

A tel point qu'elle me ferait espérer aussi!

Pourquoi pas. Si elle avait raison? Je ferme les yeux m'abandonnant un moment à la rêverie.

La forêt est belle, le vent nous assène de grandes claques, mais nous rions en courant sur la mousse. Le grand serpent de cheveux tressé se balance devant moi. Je le saisis et suis son chemin. Je le remonte lentement jusqu'au creux du cou, jusqu'aux lèvres, j'apprends son visage au bout de mes doigts.

J'ouvre les yeux. Pas de vent, pas de soleil. Pas de course folle dans la mousse! Je sais, je sens déjà que plus jamais je ne connaîtrai le contact du sol sous mes pieds. Je comprends que mon corps est une chose désormais inerte et encombrante que j'aurai du mal à supporter!

Heureusement Yasmina emplit l'atmosphère de sa présence. Elle qui se penche sur moi, elle que je grave dans mes mains et qui m'offre les perles d'amour qui coulent de ses yeux. Yasmina-bonheur, Yasmina-tendresse.

Ce corps inutile va-t-il résister longtemps encore? De toute façon, je sens avec une acuité profonde, violente, que plus jamais mon corps ne vibrera comme avant, plus jamais le sang ne brûlera dans mes entrailles comme un grand feu quand l'envie d'aimer me dévorera... Je ne serai toujours qu'une bête blessée dans ce qu'il y a de plus grand au monde. Pour elle ce sera pire. Voilà que je raisonne comme si j'allais vivre longtemps encore. Ici peu de choses se passent, il faut commencer à réagir. J'appelle le médecin et lui ordonne de s'occuper de moi sans tarder.

— Vous n'allez tout de même pas me laisser crever. Faites quelque chose! Avez-vous contacté mon docteur de Sion?

— Ne vous énervez pas. J'ai donné des ordres pour que dès cet après-midi, des radiographies soient faites. Ensuite, j'aviserai. Quant à votre médecin, nous n'avons pas pu le joindre, mais ce sera fait.

L'après-midi est un vrai calvaire. Je suis trimbalé sur un chariot d'un coin à l'autre de l'hôpital. On me retourne et ce n'est qu'avec peine que je retiens mes cris. De retour dans ma chambre, on me laisse à plat ventre. Yasmina me tient la main, tandis que, complètement abruti, je sombre dans un sommeil réparateur.

Le lendemain, une bonne sœur, vient me poser des électrodes sur les reins. Une heure passe, puis deux. Yasmina est descendue en ville. Une odeur infecte de chair brûlée me prend à la gorge. Je tire violemment sur la sonnette à ma portée. La sœur arrive, soulève mon drap d'un air détaché et enlève les appareils.

— Que se passe-t-il? cette odeur?

— Ce n'est rien, ces appareils électriques sont un peu capricieux et parfois il s'en dégage une drôle d'effluence.

Elle s'éloigne, avec son instrument à roulettes. Je saisis alors une glace dans le tiroir de ma table de nuit. D'une main je soulève mon drap et de l'autre je tente de voir ce qui me préoccupe, sans résultat. Je parviens seulement à m'épuiser et j'enrage.

Lorsque Mina revient, je lui demande de regarder mes reins. A peine a-t-elle soulevé le drap, que j'entends un cri de stupeur:

— Mais ce n'est pas vrai! Ils sont fous! Tu as les chairs entamées et creusées sur plusieurs millimètres. C'est horrible. Et cette puanteur!

Je sonne et la sœur a droit à une litanie qu'elle n'a sûrement jamais entendue.

Elle se défend mal, comme elle peut.

— Tout d'abord, de quel droit votre femme a-t-elle été dans la salle des pansements?

— Et vous, de quel droit me faites-vous crever à petit feu? Sortez!

Je me suis vidé en criant. Yasmina, inlassablement me réconforte de sa présence.

Le médecin vient m'annoncer, au bout de trois semaines, qu'il a décidé de m'opérer.

— Bien sûr, ce sera pénible, mais très vite, il n'y paraîtra plus. Vous serez ensuite rapidement rétabli.

— Je veux que mon médecin soit là. Je ne me laisserai pas opérer sans l'avis d'un professeur. C'est trop important. Avez-vous des nouvelles?

— Oui, mais il est très occupé. Ne vous inquiétez pas! Il viendra.

— Et qu'allez-vous me faire exactement?

— C'est une opération délicate mais j'ai l'habitude,

presque une routine, tout ira bien! Je dois vous ouvrir le dos, depuis la première vertèbre cervicale, jusqu'au coccyx à peu près. Quand tout sera réparé, vous n'aurez qu'une grande cicatrice.

Son air décontracté et souriant me sidère. Ainsi, dans quelques jours, je devrai passer sur le billard. Je demande à Mina qu'elle téléphone elle-même au Docteur de Praz. Elle revient au bout d'un moment, complètement démoralisée. Il semble que le Docteur Corbaux ait donné des ordres aux sœurs. Mina, aussitôt le numéro composé, s'est vue arracher le récepteur des mains.

— Il est hors de question que vous téléphoniez à votre médecin...

Je lui demande de descendre en ville afin de le faire. Je dors un peu en l'attendant. Quand elle revient, j'apprends qu'en fait, il n'a jamais été contacté. Il est même très étonné, car il m'imaginait entre les mains d'un professeur de Bâle ou Zurich. Il fera l'impossible pour venir, mais son programme est très chargé. Il va lui-même prendre contact avec le Docteur Corbaux.

Quand par la suite, j'annonce au médecin que le Docteur de Praz assistera à l'opération, je déclenche un ouragan de rage!

— Je n'en veux pas! C'est hors de question! Aucun autre médecin étranger à cet hôpital n'en franchira le seuil! Que croyez-vous donc?

— Je veux qu'il participe à mon opération! Ma carcasse m'appartient encore!

J'ai crié et une douleur fulgurante me parcourt. Je ferme les yeux pour n'en pas trop laisser paraître. Le docteur est sorti en claquant la porte. Yasmina me caresse les cheveux. Elle apaise en moi bien des brûlures.

101

— Mina écoute, j'en ai assez de leur goutte à goutte et de leur soupe blanche. Va me chercher des tomates et une belle entrecôte. J'ai faim de quelque chose de consistant. Tu me feras une fardouille et de la grillade! J'en rêve, je t'en prie.

Ma fée est partie, chercher de quoi me ravitailler. Je suis comme une plante sans eau.

La fenêtre est grande ouverte et les branches d'un tilleul viennent en effleurer le bord. Septembre est encore chaud. Cette fin d'après-midi est douce.

Quelle n'est pas ma joie lorsque ma femme revient avec les provisions, de constater qu'elle y a ajouté un morceau de jambon à l'os! Quel festin! Et cela pendant le rationnement.

— Dis-moi, comment as-tu fait?

— Je me suis souvenue que tu avais un ami brigadier ici.

J'ai été le trouver tout simplement et je lui ai expliqué. Il est venu avec moi à la boucherie. Il a parlé à l'oreille du boucher un bon moment. Puis celui-ci a discrètement fait un paquet, et le brigadier, après un clin d'œil m'a glissé:

— Je me souviens qu'il adore le jambon à l'os. Il y en a une belle tranche de ma part. Bonsoir petite madame, toutes mes amitiés à Marcel! S'il a besoin de moi, n'hésitez jamais à m'appeler.

J'ai payé relativement bon marché, et sais-tu d'où viennent les tomates? En remontant le chemin de l'hôpital, j'ai remarqué une dame travaillant dans son jardin. Je lui ai demandé si je pouvais lui acheter quatre tomates et des œufs. Très gentiment, elle a accepté et mieux que tout, les œufs sont encore chauds! Touche! Directement du poulailler, c'était inespéré.

Mina les prépare en faisant un minuscule trou de

chaque côté, et nous voilà en train de les gober. Nous nous jetons un coup d'œil par dessus nos coquilles, et tout à coup, elle part d'un éclat de rire merveilleux, cristallin; il n'en finit plus de couler comme des cascades folles. J'ai l'impression que la chambre dégouline de milliers de gouttelettes douces et bienfaisantes. Yasmina ma source vive, mon lac alpestre, mon diamant aux facettes innombrables. Nous regardons, silencieux, le crépuscule encore tout empli des senteurs du jour; il passe de la lumière chatoyante au gris foncé, lentement, et la nuit, d'un seul coup prend possession de la terre, cette terre au ventre encore chaud sous les fougères et la mousse du jardin. Yasmina se glisse comme un voleur dans les couloirs avec ses cornets. La veilleuse qui entend du bruit demande:

— Qui passe là?

Mina me l'a si bien raconté son histoire, que je la vis.

— C'est moi, bonsoir ma sœur, je vais prendre un peu l'air...

— Passez par le sous-sol, par les cuisines, la grande porte est fermée.

— D'accord, merci.

Elle a le sentiment que cette sœur-là nous tient en sympathie, qu'elle a compris notre petit jeu, mais ferme les yeux.

Ainsi, Mina peut sans se cacher, descendre aux cuisines et là, après avoir bien refermé la porte, elle allume une bougie qu'elle a emportée et commence la cuisine amoureuse. Ce n'est pas une petite affaire que de trouver les casseroles et le matériel dont elle a besoin. Finalement elle se débrouille et me rapporte un plateau chargé. L'odeur, depuis la porte, fait frémir mes narines. Impossible que la veilleuse n'ait rien remarqué.

Je suis toujours à plat ventre et dans l'impossibilité de bouger. Aussi, Mina me prépare le tout en menus morceaux pour que je puisse me débrouiller.

Septante jours sans toucher à de la nourriture solide! Je ressens une volupté rare, encore jamais atteinte. Je mange lentement, afin que ce moment dure longtemps. Elle me contemple, attendrie. Où prend-elle tout l'amour qu'elle me prodigue? Cette odeur qui me met le cœur en fête, ranime en moi le souvenir de la grande et merveilleuse cuisine de ma jeunesse. J'y suis replongé, retrempé. J'entends le crépitement du feu dans le grand fourneau. Je sens les effluves appétissants, le lard fumé, la soupe au pain rassi. Je vois les petits pots, la sentinelle près du four à pain.

Nous goûtons toute la quiétude de ce soir de veille. Finalement, c'est demain que tout se jouera. Et, en très peu de mots, nous allons beaucoup plus loin dans la connaissance de l'autre. Nous parcourons chacun une longue route au bout de nous-même. Nous savons aussi le danger que je cours à me gaver ainsi la veille de l'opération, mais n'en parlons pas.

Brusquement, nous avons conscience que ces instants sont peut-être les derniers que nous vivons ensemble. Nous n'avons encore jamais été aussi étroitement liés, par le chant du rossignol dans le lointain, par le bruit de la fontaine dans le jardin, par les ombres mouvantes des arbres et les feuilles qui lentement commencent à se détacher et virevoltent avant de s'immobiliser, par nos deux souffles rejoignant celui de la nuit, par nos regards se comprenant dans la paix du silence. Nous nous aimons, et même si ce devait être la dernière nuit... j'aurais été heureux infiniment!

J'aurai eu dans ma vie quelques années de lumière par l'amour de Yasmina, qui s'endort épuisée sur le lit de camp près de moi; son visage est paisible, confiant. Il faut que je vive. Il faut que j'essaie de la rendre encore heureuse.

Les médecins peuvent dire tout ce qu'ils veulent, tant que la rage de vivre me tient, je suis gagnant. Je le sais, je le crois avec conviction. Tacitement, nous avons évité, depuis l'accident, d'aborder le problème de mes jambes inertes.

Yasmina espère de toutes ses forces. Moi, j'attends, je n'ose pas trop y croire, mais je dois le garder pour moi. A mon tour, je bascule dans la nuit et l'oubli.

CHAPITRE 2

LE CAUCHEMAR

Au petit matin, une sœur vient me faire une prise de sang, puis une première piqûre de prémédication avant l'anesthésie. Je sens les lèvres de Yasmina sur mon visage. Je suis déjà un peu hors du temps lorsque l'on m'emmène à travers les corridors, jusqu'au grand ascenseur, puis à la salle d'opérations. Mon esprit vascille. Dans un sursaut de volonté, je demande le Docteur de Praz.

— Il doit arriver d'un instant à l'autre.

Je referme les yeux et on me pique à nouveau.

— Comptez à rebours depuis cinq.

— Cinq...quatre...trois...d...

La nuit tombe quand je reprends conscience dans ma chambre. A travers le brouillard de mes yeux entr'ouverts, je rencontre la chaleur d'un regard bleu pervenche. Que c'est bon! Mon corps appartient encore aux nuages. J'éprouve la sensation de flotter. J'esquisse un sourire et ma fée me prend la main.

— Combien de temps... l'opération?

— Six heures, mon chéri, ne te fatigue pas. Le docteur m'a dit t'avoir fait une petite anesthésie. Il n'osait pas forcer la dose en raison de ton état. Au bout d'une heure, tu t'es réveillé et tu as crié. Alors, ils t'ont endormi localement. Comment as-tu supporté? Ensuite tu t'es évanoui et cela par deux fois. Puis, il y a eu une nouvelle narcose légère.

— Oui, je me souviens pendant l'opération... j'ai eu plusieurs fois les mêmes douleurs, la même impression de me noyer, les voix me parvenaient lointaines, comme du fond d'un gouffre. Une chose est curieuse. Depuis l'accident, je n'ai pu ni bouger ni sentir mon bassin, mes jambes. Pourtant, l'espace d'un instant, j'ai senti quand on m'opérait au niveau des reins. Tu crois que peut-être?

— Tais-toi, chéri. Il faut patienter huit à quinze jours avant de savoir, ou même de comprendre. Pour l'instant, essaie d'oublier un peu ce cauchemar et profite de te reposer puisque la douleur te laisse un peu de répit.

Je sais qu'elle a raison. Pourtant, je suis furieusement impatient de savoir. Le goutte à goutte me donne ce qu'il me manque de vie. Mina est près de moi. Tout est dans l'ordre des choses. Je reprends doucement des habitudes, qui sont des formes concrètes de rythme qui nous aide à vivre le moment présent.

De nouveau c'est la ronde des médicaments, des tranquillisants, des somnifères, des piqûres, un vrai carrousel, qui finit d'ailleurs par m'étourdir vraiment. Cela fait un mois depuis l'accident que j'en ingurgite toujours plus.

C'est un après-midi calme, la fenêtre est fermée.

L'automne sérieusement installé a beaucoup rafraîchi l'atmosphère. Je tends l'oreille, j'écoute anxieux. C'est curieux. Mina dort d'un sommeil léger et cette musique ne semble pas la gêner. Pourtant, par moment, c'est tellement fort, que j'ai envie de me boucher les oreilles. Qui donc ici, s'exerce à jouer du vieux jazz sous les fenêtres de l'hôpital? De la batterie, maintenant? Et Mina dort toujours.

Etrange. Après un moment, le calme revient.

Lorsque Yasmina termine sa sieste, je veux lui demander si elle a entendu.

— Chérie, tu n'as pas... Tu as bien dormi?

— Oui, merveilleusement bien, c'est tellement calme ici. Mais que voulais-tu me demander?

— Rien... rien...

C'est tellement calme, tiens. De plus en plus curieux.

Pourtant je suis sûr de ce que j'ai entendu! Mais si j'insiste, elle va penser que je deviens dingue. Je suis intrigué. Elle ouvre la fenêtre et prend le frais. Le crépuscule est beau, un petit air amène les dernières senteurs de l'automne. Tout à coup, j'observe ma femme et je suis surpris. Comment supporte-t-elle que ce crépuscule soit troublé par autant de vacarme! De nouveau cet orchestre. Ils s'exercent, mais la musique est tellement désordonnée que cela devient insupportable. Soudain je crie, les deux mains sur les oreilles:

— Ferme cette fenêtre, bon Dieu! Comment peux-tu supporter ce vacarme!

En voyant les yeux effarés de Mina, je suis désemparé.

— Mais chéri, quelle musique, quel vacarme? dit-elle tranquillement en refermant la fenêtre.

— Ecoute, je t'en prie. C'est très sérieux. Ne plaisante pas. Tu n'entends pas cette musique de jazz, ce rythme endiablé, envoûtant. Tu n'entends rien?

Elle s'approche de moi, ses yeux éperdus me font trembler.

— Je te jure, sur ce que nous avons de plus précieux au monde, nos enfants, qu'il n'y a rien, pas un bruit. Je vais ouvrir à nouveau, tu écouteras. Reste très calme, je veux t'aider.

L'oppression que je ressens déjà si fort, augmente

lorsque l'air pénètre librement dans la chambre. Je veux garder mon calme, je ferme les yeux, j'entends le vent dans les arbres, très doucement, puis le bruit des feuilles sèches devient autant de timbales frappées frénétiquement. Puis un tambour, une trompette, et cela recommence, fort, trop fort, de plus en plus fort. Alors, je réalise que...

— Non, non. Assez!

J'ai crié, j'ai hurlé! La sueur coule de mon front et mon cœur bat la chamade. Le souffle me manque, j'étouffe!

Mina referme brusquement la fenêtre et court vers moi, m'éponge le front avec une lavette fraîche. Peu à peu, l'angoisse et le bruit s'estompent. Je me retrouve, moi-même et ma femme, je la découvre, douce, calme, sécurisante.

— Dis-moi, que s'est-il passé? J'ai un trou.

— Il faut trouver, mon chéri, cherchons ensemble.

— Oui, tu as raison.

— D'abord, cette musique que tu as entendue, est-ce la première fois?

J'hésite à répondre.

— Non, déjà cet après-midi quand tu dormais, j'ai eu peur, tu sais tout à l'heure. J'ai cru devenir fou, fou! Qu'en penses-tu? Dis-moi.

— Non, chéri, je pense simplement que tu es épuisé. C'est la narcose, les médicaments.

— Justement, les médicaments. Je me rends compte, je suis sûr que c'est çà. Les doses sont trop élevées et depuis trop longtemps. Mon corps et mon subconscient commencent à en être saturés. Fini! C'est fini. Je n'en prendrai plus.

— Marcel, réfléchis, je t'en prie! Tu ne pourras pas supporter la douleur.

— Tout, tout plutôt que de devenir fou! Tout plutôt que cette démence, ces hallucinations incontrôlables.

— Et que vas-tu faire? Que diras-tu au médecin?

— Laisse-moi faire.

Vient l'heure de la piqûre biquotidienne. La sœur s'approche avec sa seringue, un sourire ambigu au coin des lèvres.

— Que contient votre seringue?

— Comment ça! Des questions maintenant? Vous allez être bien raisonnable et vous laisser faire.

— Oh non! C'est fini, répondez-moi. Que contient votre seringue?

— Non, mais il me ferait rire ce bougre-là! C'est un calmant! Maintenant donnez-moi votre bras!

— C'est exactement ce que je voulais savoir et ce que vous ne me ferez plus jamais. Des piqûres de morphine! Et le bougre vous dit: merde!

Là elle se fâche et me saisit le bras d'autorité avec une poigne de fer. Alors, toujours dans la même position inconfortable, et au risque de me rouvrir la longue boutonnière qui court le long de mon dos, j'exerce une ·torsion vigoureuse et j'envoie gicler la seringue vers la fenêtre. Je contemple les petits morceaux de verre par terre et le liquide qui perle ici et là. Le plancher va-t-il aussi osciller en hallucinations vertigineuses? Non, cela lui fait, semble-t-il, moins d'effet qu'à moi. L'infirmière gesticulante, s'enfuit vers la porte, (tiens, je l'avais oubliée celle-là) et crie en l'ouvrant:

— Il est fou... Il est devenu fou!...

La porte claque. Alors je ris, d'un rire nerveux et convulsif qui me fait du bien! Puis je m'endors rapidement, sous les caresses apaisantes de ma fée.

111

Dès ce jour, Mina et moi, déclarons la guerre aux médicaments et, systématiquement, toutes les pilules passent dans le vase de nuit. Bien diluées, il n'y paraît plus. Par contre, nous mettons sur pied un régime de choix : steak de cheval, entrecôtes, légumes que ma femme me prépare toujours clandestinement le soir. La veilleuse ferme encore les yeux innocemment.

Deux semaines plus tard, les points de suture enlevés, je crains de comprendre que plus jamais... On ne me le dit pas vraiment, mais je le pressens. Entre-temps, j'ai reçu une lettre du Dr de Praz. Il me conseille de consulter rapidement le Professeur Krähen de Zurich. C'est le plus grand spécialiste, connu bien au-delà de nos frontières.

Trois mois plus tard, le Docteur Corbaux me signale qu'il veut entreprendre une nouvelle opération dans quelques jours.

Je reçois alors une curieuse visite qui s'avère providentielle. Un jeune vicaire de Sion, vient passer un après-midi vers moi. Un être curieux. Un peu naïf dans son parler, mais généreux, toujours disponible vis-à-vis des défavorisés. Idéaliste, il est très controversé par son côté gauchisant. Mais ses qualités sont indéniables. Voilà à peu près ce qu'il me dit ce jour-là :

— Mon pauvre Marcel, vous êtes bien jeune pour laisser une femme et trois jeunes enfants. Il vous faudra beaucoup de courage pour les quitter. Voyez-vous, les desseins de Dieu sont insondables ! Mon frère a eu, voici deux ans, un terrible accident de voiture dans les environs. Il a été hospitalisé ici, et soigné par le Dr Corbaux. Il était exactement comme vous. Il a deux enfants en bas âge. Le docteur l'a opéré de la colonne, mais l'intervention n'avait pas vraiment réussi. Alors, quelque temps après, le chirurgien l'a opéré une seconde fois et il est mort. Il avait le même âge que vous. Soyez courageux!

En un éclair, les desseins de la Providence m'apparaissent au contraire très clairs. Merci Seigneur! Je ne serai pas le prochain sujet d'expérimentation de ce cher docteur!

Sans le savoir, l'abbé me sauva la vie. Cette deuxième opération, il n'en est évidemment plus question!

C'est déjà une folie que d'avoir passé entre les mains de ce médecin. Quand trois jours plus tard, on veut m'emmener en salle d'opération, je fais un véritable scandale, je m'accroche à mon lit de toutes mes forces.

— Je croyais vous avoir dit que je ne me laisserais plus toucher ici. Non! il n'y a plus rien à faire et à dire! Laissez-moi, ou j'ameute tout le quartier!

Les infirmiers vont chercher le praticien qui attend déjà en salle d'opération. Il arrive furieux!

— Vous êtes fou ou bien quoi? Cessez vos simagrées et venez maintenant. Vous me faites perdre du temps!

— Vous ne toucherez plus un seul de mes cheveux! Vous avez déjà failli me faire claquer deux fois. La première avec des médicaments, et l'autre en m'opérant. Ça suffit. Vous n'aurez pas ma peau. Partez!

— Vous êtes complètement fou! je vais appeler un médecin du quartier psychiatrique de Malévoz. C'est là que vous devriez aller!

Il quitte la chambre en ordonnant aux infirmiers:

— Amenez-le moi! Et vite.

— Si vous me touchez, je hurle pour ameuter tout l'hôpital. Foutez-moi le camp!

En haussant les épaules, ils repartent avec le chariot vide.

113

Je suis épuisé. Mina secoue la tête.

— Je sais que tu as raison, mais tu en fais trop! Tu t'épuises en t'énervant ainsi. Calme-toi, ne parle plus.

C'est ce jour-là, que je prends la décision qui mûrissait dans ma tête depuis la lettre du Dr de Praz au sujet du professeur de Zurich.

Quatre mois déjà depuis l'accident. Trop de temps perdu, trop d'espoirs déçus et de dégâts peut-être.

Je demande à Yasmina de faire le nécessaire auprès du Docteur de Praz et une semaine plus tard, je reçois une convocation pour le Kantonspital de Zurich, dans le service du grand professeur.

Le jour du départ, rien n'est prêt. Le Docteur Corbaux a refusé de commander l'ambulance.

Mina descend en catastrophe à Monthey et revient une heure plus tard avec une ambulance et mon ami le brigadier. Idée géniale. Sans lui, nous n'aurions pas pu quitter l'établissement. Cela frisait la séquestration.

Le personnel refusant toute aide, seuls mon ami le brigadier et le chauffeur me transportèrent. Enfin, je sors de cette prison. De l'air! Une voiture. On me dépose délicatement sur le brancard. Mina suit avec mes affaires et sa valise.

Au moment de fermer la porte, la sœur des gaffes, celle des électrodes oubliées, celle des blessures non pansées, arrive en courant.

— Monsieur, monsieur... je voulais vous dire au revoir, mais surtout vous dire combien je suis soulagée. J'ai été me confesser.

A peine a-t-elle le temps de finir sa phrase que je crie:

— Fermez cette porte. Je ne veux plus voir cette garce, ni cet hôpital, plus jamais!

L'ambulance s'ébranle, la route sera longue, très longue!

Chemin de larmes rentrées, d'espoirs fous, de panique raisonnée. Chemin obscur et lumineux à la fois. Chemin jusqu'à la vérité médicale toute nue, qu'il faudra accepter, bonne ou mauvaise. Chemin nécessaire à ma paix intérieure, chemin de confiance puisque je serai entre de bonnes mains.

CHAPITRE 3

EFFONDREMENT

Je dors une grande partie du parcours. Les secousses éprouvent mon dos et le mal que je ressens est grand. Mais je vais toucher au but, bientôt je vais savoir. Enfin...

L'installation au Kantonspital se fait rapidement et le soir déjà, je suis en contact avec le professeur qui m'accueille avec beaucoup de chaleur.

Mina lui remet les documents me concernant, les radiographies, obtenues non sans peine, avec la complicité de la sœur veilleuse.

— Dès demain, nous commencerons les examens. Nous avons déjà perdu trop de temps! Reposez-vous bien. Vous aurez besoin de vos forces. Puis-je parler à votre femme en particulier?

— Evidemment! Merci professeur. A demain!

Assez vite je m'endors, complètement anéanti.

J'apprends le lendemain que l'homme de science a longuement parlé avec Yasmina; il l'a beaucoup interrogée. Il voulait tout savoir, tout connaître de nous. Ici je ne serai pas seulement un numéro ou un cobaye, je vais être traité en homme avec toutes les attentions que je n'ai pas eues avant. Durant quatre jours, je subis des examens de tous genres. On reprend des radiographies, plus sérieusement me semble-t-il. D'ici quelques jours, le professeur pourra se déterminer. Il veut aussi effectuer des examens de la moelle épinière. Pendant deux jours encore je ne le revois pas. Quand enfin, il entre dans ma chambre, je le dévisage, je scrute son regard. Il me prend la main dans les siennes, et avant même qu'il n'ait parlé, j'ai compris.

— Mon cher ami, pour n'importe quel malade, je maquillerais la vérité, mais vous, je sais que l'on ne peut vous tromper. Je sais que vous l'exigez cette vérité, aussi cruelle soit-elle. Croyez-le bien, cela me fait très mal de vous donner un diagnostic aussi définitif. Voyez-vous, dès votre entrée ici, je vous ai trouvé différent des autres patients. Je vous considère un peu comme mon fils. Et il est difficile de dire à son fils qu'il ne marchera plus jamais, parce que je ne peux plus rien pour lui. D'après les deuxièmes radios, il semble probable que la première opération vous ait été fatale! Car, sur les premiers documents, aucun point de la moelle épinière ne semble touché, tandis que cette fois... Et, une fois sectionnée, la moelle épinière ne se refait pas! Il n'y a vraiment plus rien à faire.

Il serre la main qu'il tient. Yasmina, dont le visage s'est décomposé au cours de la conversation, met sa tête dans le creux de mon bras et pleure silencieusement. Je voudrais revenir cinq minutes en arrière, avant le verdict! Il y avait plein d'espoir en nous. Et d'un seul coup, on reçoit la terrible vérité, comme une gifle. Ah! Si Corbaux était sous ma main... Mon désespoir et ma rage sont si grands, que je serais capable d'un malheur! Je ne peux que caresser les cheveux de Mina. Nous sommes deux êtres perdus...

— Nous allons vous garder quelque temps ici, pour compléter vos soins et réparer ce que nous pouvons.

Ma peine est immense, mais je ne puis pleurer. Le mal que je ressens, la blessure qui m'est faite est bien plus terrible qu'aucun chagrin. Il faut que, désormais, j'envisage de vivre avec cette blessure permanente. Et là, personne ne peut rien pour moi. Un problème surgit pourtant, car j'ai quitté l'autre hôpital sans l'accord du médecin traitant et sans avertir l'assurance militaire, ce qui me crée passablement de difficultés administratives et financières. Le professeur, heureusement, m'aide à les résoudre et finalement tout rentre dans l'ordre.

Me sachant bien soigné, je suggère à Mina qu'elle rentre quelques jours à la maison vers les enfants. Cela lui changera aussi les idées. Après le choc de ces derniers jours, elle a besoin de se régénérer. Pratiquement, depuis quatre mois, elle n'a pas quitté mon chevet, si ce n'est trois ou quatre fois pour voir les gosses. Je reste ici un mois encore. Grâce au professeur, nous avons obtenu de l'assurance militaire, un lit d'hôpital pour la maison. Il pense que je serai mieux entouré par ma famille, puisque mon état ne peut plus progresser. Je vais pouvoir rentrer, après un peu plus de cinq mois d'absence. Dans ce qui était le bureau-salon, Mina a aménagé le grand lit, qui occupe la majeure partie de la pièce.

Mon retour est une fête pour les enfants. Je suis épuisé mais si heureux. Je vis! Malgré toutes les prévisions pessimistes du début, je suis à nouveau le pilier de la famille. Pilier couché, peut-être, mais pilier quand même!

Tout le quartier me manifeste sa sympathie. Cette petite ville n'est en fait qu'un grand village où circule un courant d'amitié merveilleux, salvateur.

Arrive aussi, le premier Noël de ma nouvelle existence. J'aime déguster chaque minute qui m'est donnée. J'ai envie de me battre pour vivre bien, le mieux possible!

C'est vraiment une nouvelle forme de vie que nous adoptons en famille. Un peu à la manière d'un aveugle, j'éduque mes sens, et j'apprends les yeux fermés, le souffle de la maison. Les pas des enfants, de chaque enfant. Le claquement des portes, de chaque porte. Des voix, des chuchotements, les glou-glou de l'eau, le bruit des chaises qu'on déplace, les cris et les rires des petits. La vie reprend tous ses droits et c'est bien. Les amis reviennent me trouver, les vrais amis. Ceux pour qui rien n'a changé. Ceux pour qui amitié ne signifie pas « intérêt ».

Dès ce jour, nous n'avons plus vraiment l'impression d'être en période de rationnement, car nos proches rivalisent d'ingéniosité pour nous faire plaisir. Cette chaîne d'amitié a tellement bien fonctionné durant notre absence, que la sœur de Mina n'a pas eu à s'inquiéter du jardin potager. Elle s'occupait des enfants, de la maison et des animaux. Les voisins s'étaient donné le mot, et chaque jour l'un deux s'activait à entretenir et ramasser les légumes, à planter, à retourner la terre, à cueillir les fruits. Aucun grain de sable dans les rouages du quotidien. Pour les enfants, tout fonctionnait comme à l'ordinaire.

La plus petite fut souvent prise en charge par ses parrain et marraine, le couple ami de notre premier logement, le « frère » des jours heureux.

Nos liens se resserrent davantage encore et leur disponibilité est sans mesure.

Curieusement, nos enfants ne semblent pas choqués de me voir toujours dans ce grand lit. L'aînée peut-être, mais elle est secrète et ne le montre pas. Pour ses huit ans, elle fait preuve d'une grande maturité. Le deuxième, cinq ans et demi joue beaucoup avec la dernière et prend toutes les choses très à cœur. Quant à la petite de deux ans à peine, c'est l'espièglerie et l'insouciance permanentes.

Leurs jeux m'émerveillent, même si parfois cela m'épuise. Souvent, j'entends Yasmina tenter de les calmer, de leur trouver des jeux tranquilles. Mais à quoi bon! C'est tellement fort et beau la vie, surtout quand on nous dit « en sursis »...

RECONSTRUCTION

On me donnait trois semaines à vivre. Pourtant voilà deux ans et demi de passés. Très doucement, je parviens à m'asseoir de courts moments, bien calé dans mon lit. Des amis viennent me voir et parfois me surprennent. Plusieurs d'entre eux, ayant des positions sociales élevées, des honneurs, des relations multiples, viennent pour « se faire remonter le moral ». Que puis-je pour eux ? Rien de particulier ne se passe pourtant. Nous parlons de nos affaires, de généralités, un peu de leurs problèmes personnels, il est vrai, et ils repartent regonflés à bloc !

Yasmina, pleine de courage, a fait une demande à l'Etat pour trouver un poste d'enseignante. Ce que nous touchons ne suffit pas à assurer notre bien-être. Il faut donc envisager une solution. Notre surprise est grande d'apprendre que son brevet d'institutrice neuchâtelois n'est pas valable en Valais. Elle doit donc refaire un brevet valaisan mais peut, en attendant, enseigner comme stagiaire.

On sent heureusement la fin de cette longue guerre.

Depuis hier, des soldats américains se promènent en ville. Ils dorment dans les écoles et distribuent des quantités de « chewing-gum » aux gosses. Ceux-ci d'ailleurs, savent très vite prononcer « chouingoum ». De mon lit, par la fenêtre ouverte, je regarde les petits marchandages dans la cour de l'école. Un de leurs cadeaux coûte un baiser sur la joue. Certains ont l'air bien jeunes et peut-être ont-ils laissé une femme et des enfants chez eux. Les petits baisers des enfants les réchauffent. Je vois justement Ariane et François en train de faire leur commerce. Ma fille se penche en avant et passe ses deux petits bras autour du cou du soldat à genoux. Elle lui colle un baiser mouillé sur la joue, et le gars éclate de rire ; il lui ébouriffe les cheveux en lui tendant quelque chose.

Quand les enfants reviennent, ils lancent des « Hello ! » sonores.

Pour ma part, je suis très soucieux, car je viens de recevoir une décision curieuse de l'assurance militaire. Puisque je peux être à la maison, c'est donc que je n'ai plus besoin de soins. Par voie de conséquence, on va diminuer ma pension et supprimer certaines indemnités. Ou alors, je peux choisir une chambre privée dans un hôpital et elle me sera payée. Ils sont complètement fous ! J'ai besoin du physiothérapeute trois fois par semaine pour éviter que mes membres ne s'atrophient, sans oublier d'autres soins élémentaires. Vraiment je ne comprends pas. Je vais devoir me battre et je demande conseil à un ami avocat, puis je décide de me défendre seul. Je m'attelle au code civil, aux réglementations de lois, et je les attaque en procès. Finalement, le droit me passionne et par pur intérêt personnel, je m'y mets à fond.

Commence une période certainement éprouvante pour tous. Je suis tellement préoccupé et absorbé que je deviens irrascible. Mais après six mois, j'ai gain de cause et ce que j'ai appris par moi-même, reste acquis.

La guerre est vraiment terminée, laissant tant de blessures derrière elle.

Mina commence sa période de recyclage et d'enseignement. Je la trouve dynamique et courageuse, comme toujours. Les enfants ont tous pris le chemin de l'école, y compris Ariane. Le 25 janvier 1946, un inquiétant tremblement de terre secoue le Valais. Les secousses d'une très grande intensité, commencent vers quatre heures du matin. Je demande à Mina d'habiller les enfants et de les emmener au fond du jardin. Je crois qu'ils n'ont pas bien réalisé ce qui se passe jusqu'à ce qu'ils soient prêts. A ce moment-là, Mina me demande :

— Mais toi, comment va-t-on faire pour t'emmener ?

A nouveau le roulement caractéristique annonçant une secousse se manifeste, suivit de tremblements violents. Les meubles sont déjà un peu déplacés et le plafond se lézarde en tous sens.

— Il n'est pas question de moi ! Sortez vite, courez au fond du jardin, vers le poulailler.

— Non, Marcel, ce n'est pas possible, on ne va pas te laisser là !

Je crie cette fois !

— Obéissez... Filez tous !

La secousse se calme et le bruit angoissant s'arrête.

— Dépêchez-vous, il y a déjà eu trois secousses en vingt minutes, sortez au moins une heure !

— Non, papa, et toi ? On reste avec toi ! crie François.

— Non, on ne veut pas partir sans toi, pleurent les filles.

Je dois vraiment me fâcher et c'est larmoyante que toute la famille sort au jardin.

Par la fenêtre ouverte, je vois la route et la cour de l'école qui se remplit de monde. Tous les gens descendent dans la rue. Alors, commence une anxieuse attente pour moi. Je ne pense pas que cela continuera encore très longtemps, mais je l'avoue, jamais des secousses n'ont été ressenties aussi fort et à une cadence aussi répétée. Jamais encore les plafonds ne se sont fendus et vraiment c'est très angoissant de se sentir prisonnier dans un lit quand toute la chambre tourne autour de soi.

J'entends dans le jardin les pleurs des enfants qui m'appellent, je ne puis apaiser leur frayeur et surtout pas accepter qu'ils restent ici.

Au loin, l'alarme stridente des pompiers sur la route. D'autres enfants se mettent à pleurer eux aussi. Je réfléchis. Il n'y a vraiment aucun moyen pour moi de sortir.

Même à la force des bras, je n'y parviendrais pas. C'est curieux, tout de même, qu'aucun voisin n'ait pensé à m'aider. Tout le monde est paniqué. Certaines personnes ont même sorti leur matelas sur la rue et des objets hétéroclites.

Yasmina revient seule:

— Ecoute, je vais essayer de te porter, ne reste pas là.

— Non, ma chérie, tu n'y arriveras pas, c'est inutile. Va vers les enfants, s'il-te-plaît. Je pense que c'est bientôt fini.

Yasmina m'embrasse tendrement, tandis que de la terre monte un grondement sourd et puissant. Je la repousse.

— File... Pars...

Elle sort en courant, et la vague recommence. Le ventre de la terre secoué de coliques se tord et s'agite. Je crânais tout à l'heure, mais j'ai l'impression d'être sur un bateau. Je m'agrippe à mon lit, radeau dérisoire, simplement pour user mes forces à quelque chose!

Des livres tombent par terre, puis un vase qui était sur le bureau. La lampe décrit des cercles au plafond. A la salle à manger retentit le carillon désordonné de l'horloge qui vient de tomber. Dehors, les gens crient. Une longue fente se creuse à la jointure des murs au coin de ma chambre. Et soudain j'ai peur, une peur viscérale et incontrôlable. J'ai défié les lois de la médecine pendant quatre ans et je serais vaincu par un éboulement sur la tête.

Les secousses durent de six à douze secondes et cela paraît interminable quand on a la peur au ventre. Les dégâts commencent à être importants. Il ne faudrait pas que cela dure trop.

Environ une heure plus tard, la famille revient et l'on essaie de reprendre le rythme quotidien, petit déjeuner, préparatifs d'école. Chacun est angoissé tout de même.

Cette matinée, par deux fois, les classes sont évacuées, puis les cours se terminent dehors.

Le foyer des secousses sismiques se trouve au Rawyl, ce qui explique la violence ressentie à Sion.

Le lendemain, 26 janvier, la série noire continue. J'annonce la couleur à la famille. Si cela se poursuit nous partons pour le chalet en cours de finitions. Ce chalet que j'ai décidé de faire construire dans une vallée, au-dessus de mon village, sur un terrain hérité de mon père. Mon frère aide à la construction et c'est avec beaucoup d'émotion que j'assiste souvent aux travaux. Chaque jour de congé, nous montons dans la vallée. Yasmina a dessiné le plan de l'intérieur et des meubles avec beaucoup de goût. Un ami architecte dirige la construction. Presque tous les ouvriers des différents corps de métier sont des amis.

L'ambiance du chantier est détendue et chaleureuse. J'aime parler avec eux en patois du coin. Avant l'hiver, le toit et les fenêtres ont été posés et le reste sera terminé cet été.

Depuis quelques mois, fréquemment, je fais des escapades en voiture avec Mina et les enfants. Un ami vient me porter dans l'auto. Nous avons supprimé le siège avant, ainsi je peux avoir les jambes étendues.

Un peu plus de trois mois d'accalmie et les tremblements de terre reprennent, le 30 mai. Tant pis pour l'école. Je prends sur moi le problème des absences. Puisqu'il m'est encore donné de vivre, je veux tout faire pour que les miens oublient peu à peu les perturbations subies depuis mon accident.

Ce premier voyage de Sion au chalet est mémorable. Nous avons encore des animaux, et il faut bien les prendre avec nous. Dans notre coffre entrouvert, deux caisses recouvertes avec des sacs contiennent une douzaines de poules affolées. A l'intérieur, en plus de la famille, nous avons casé une caisse de lapins et un petit chien gémissant sur mes genoux. Le toit, n'en parlons pas! il déborde de valises. Une véritable Arche de Noé!

Quelle joie d'aménager, puis de vivre dans ce chalet! Les enfants resplendissent de vie. Ils ont des kilomètres de prés et de forêts pour vivre leurs aventures de vacances, sans courir aucun risque.

Mina et les enfants font de nombreuses courses en montagne avec mon frère Jean-Marie. Les amis et la famille se succèdent, sans discontinuer.

Fréquemment, nous sommes quinze, voire dix-sept à table. Mina ne se plaint jamais. Elle organise tout, sans en avoir l'air, prépare les repas, les chambres, fait même une fois par quinzaine de grandes lessives et, tôt le matin, met le linge à cuire dans de grandes bassines en plein air, sur des feux de bois. Le soir, nous jouons au bridge ou au ramy, et jamais elle ne manifeste la moindre mauvaise humeur. Pourtant nous nous couchons souvent bien tard. Peut-être que ce tourbillon dans lequel je vis, je le provoque volontairement. Car si pour les autres, j'ai un moral d'acier, durant de longues périodes, je broie du noir, mais je ne dois rien laisser paraître.

Mina ignore que depuis plusieurs mois, je cache mon revolver d'officier sous mon matelas. Je l'ai transporté dans un canon de mon pantalon. Quand vraiment ce ne sera plus supportable, je déciderai de tout quitter. Mais il me reste tant de choses à faire!

Pourtant, la nuit, quand tout est paisible dans la maison, la tentation est grande parfois et je dois me cramponner.

J'aime toucher cette crosse froide, mais combien réelle, cet instrument de mort. Je suis conscient que c'est la seule chose que je puisse décider seul et faire seul! Sans l'aide de personne. Décider du jour, de l'instant, comme il me plaira, quand vraiment ma prison sera trop oppressante. Je fais mienne la parole de Nietzche «Qu'y a-t-il de plus humain? Epargner la honte à quelqu'un.» Quelque chose pourtant me retient aussi fort que ma famille. Je veux retrouver celui qui m'a fait «cadeau» de mon invalidité. Cet infâme individu, qui jamais n'a pris de mes nouvelles, ni n'est venu me trouver. Ce lâche, qui par paresse et par orgueil, m'obligea à donner ce cours à sa place alors que je rentrais en permission.

Cela me trouble infiniment. D'un côté, je me demande si je pourrais... de l'autre, je me sens des instincts meurtriers en pensant à lui. Si je l'avais là, sous les yeux, je serais peut-être capable de l'abattre comme un chien. S'il ne s'est jamais manifesté, c'est probablement parce qu'il sent ma haine, car oui, c'est bien de la haine que j'éprouve.

Alors, je recule ma propre échéance, pensant que ce revolver pourrait d'abord servir à une autre fin.

Je sais que cette intention morbide est indigne de ma part, de l'éducation que j'ai reçue, de ma religion, mais c'est plus fort que moi.

En attendant ce moment, je souhaite à mon capitaine de ressentir un tourment de l'âme perpétuel, aussi violent que le mal que je subis dans ma chair.

Yasmina n'évoque jamais ce problème. Peu à peu elle a remplacé ce manque, par un apport encore plus grand de tendresse. Cela lui suffit-il? Je reconnais que par sa douceur et le dévouement constant dont elle fait preuve, elle parvient à compenser beaucoup de choses.

Chaque été, Yasmina suit des cours de perfectionnement pour enseignants. Elle y rencontre beaucoup de gens intéressants. Durant ces périodes, une de ses amies vient la remplacer auprès de nous. Mais aussi longtemps que durent ses absences, je suis rongé de jalousie. Elle est belle, désirable, et depuis l'accident, nous n'avons plus de rapports physiques. Elle n'est que mon infirmière et je ne suis pas facile, alors... Et si un autre... et si elle flanchait par fatigue, par découragement?

Je me torture en vain, je suis idiot. La simple logique, commanderait justement de ma part plus de patience, plus d'égards, de douceur. Je réagis à l'inverse du bon sens. Voilà sans cesse que des idées me poursuivent.

Jamais plus je ne serai un homme à part entière.

Jamais plus je ne ferai l'amour. Comment dès lors, rester le même?

Quand ma femme revient de ses séjours, je la questionne, je deviens odieux. Elle reste calme, si calme qu'elle me désarme. Je sens bien que je la fais souffrir.

Si elle était coupable de quoi que ce soit, elle ne serait pas ainsi égale à elle-même, douce, attentive. Je suis maladivement jaloux et je n'en ai pas le droit.

L'été au chalet est ponctué de petits événements parfois drôles, parfois ennuyeux.

Durant la période des foins, nombreux sont les paysans amis, d'anciens camarades de village, à venir distraire mes pensées un moment. Les évocations du passé ont un goût de nostalgie, pas toujours désagréable.

Parmi ces amis, il en est un qui me peine. Devenu une véritable loque humaine, hideuse, à cause de l'alcool. Il est surnommé «Jo d'Adèle». Il ne manque jamais de venir, non seulement me saluer, mais m'embrasser.

Seulement, comme il ne se lave jamais sauf quand il bascule par inadvertance dans les ruisseaux ou les torrents, il sent le bouc, la vinasse et la crasse à cent mètres à la ronde. Mes enfants ont pris l'habitude, quand ils le voient approcher, de se précipiter à la salle de bains et de préparer une cuvette d'eau chaude, le savon et le linge, pour me rafraîchir sitôt après son départ.

Ce «Jo d'Adèle» est un phénomène connu dans toute la vallée. Quand il quitte Orsières, de bonne heure le matin, il s'installe au fond du char vide sur une paillasse, la bouteille à la main, il crie «Hue!» et se met instantanément à ronfler.

Son mulet, d'une intelligence rare, le mène toujours

131

là où il faut. Arrivé à destination, il tape du sabot sur le sol et brait aussi fort qu'il peut.

«Jo d'Adèle» se réveille, et comme tout le monde le connaît, il se trouve toujours quelqu'un pour lui aider à faire son ouvrage.

Il faut dire qu'en démarrant le matin, il a déjà bu une bonne lampée de goutte et qu'il continue tout le jour sur sa lancée.

Quand son foin est chargé, à deux ou trois, les hommes le hissent au sommet et donnent le signal au mulet, qui consciencieusement fait une première halte à côté du chalet, puis le descend quinze kilomètres plus bas, à son village, où d'autres voisins le déchargent, le couchent dans son lit, et s'occupent du foin, «Jo d'Adèle» étant hors d'état de faire quoi que ce soit.

Mais il arrive que l'aventure tourne au vinaigre. Pour rentrer chez lui, son mulet passe par une charrière étroite, dans les prés qui longent notre chalet.

Un soir de «trop plein», après la halte pour la traditionnelle marque d'affection, on l'aide à remonter au sommet de son chargement et le mulet s'ébranle.

A cent mètres en contrebas, la charrière fait un coude assez prononcé, où d'un côté, il y a des rochers et de l'autre, un profond ravin surplombant la rivière. Que se passa-t-il? On entendit soudain l'animal braire affreusement et des cris étouffés parvenaient du ravin. Le char s'est retourné, une roue probablement prise dans une ornière a dû le déséquilibrer.

Grand branlebas de combat. Tous les paysans des alentours accourent, dégagent la pauvre bête prise sous les harnais et remontent «Jo d'Adèle», gisant trente mètres plus bas.

Comme nous sommes les plus proches du lieu de l'accident, on nous le confie. Je vois toute la famille s'enfuir, à l'exception de Mina, qui, maîtrisant sa répulsion, fait s'asseoir le malheureux devant le feu. Il pleure et gémit comme un enfant. Sa main écorchée n'est rien à côté de son nez! La narine droite décollée et soulevée saigne abondamment. Son arcade sourcilière est aussi entaillée. Pauvre Jo! On le désinfecte à l'alcool pur et il pousse des hurlements de bête blessée. Les blessures, bien que spectaculaires, ne sont pas graves. Plus de peur que de mal! A croire qu'il y a des anges gardiens pour les ivrognes. Une fois de plus, les voisins secoururent l'infortuné en rechargeant le char après l'avoir remis sur ses roues, et le mulet descendit la vallée tout seul, jusqu'au domicile de son maître.

Le pauvre homme, du même âge que moi, paraît vingt ans de plus, tant il est ravagé par l'alcool.

Chaque année aussi, des amis belges viennent dans la vallée. Ils louent un chalet un peu plus loin. Le père, médecin à Bruxelles possède une clientèle triée sur le volet. Nous sommes surpris, dès le début, de la quantité de Fendant qu'il ingurgite. Mais il ne boit jamais à Bruxelles, dit-il...

Les années passent, nous le retrouvons toujours un peu plus boursoufflé, le nez plus rouge-violacé, de moins en moins lucide. Sa femme est admirable et belle. Durant tout le mois de leur séjour, ils viennent presque tous les après-midi, avec leurs quatre enfants. Notre progéniture s'entend à merveille avec eux, et, tandis qu'ils investissent les prés et forêts des alentours, nous jouons aux cartes.

Six ans désormais ont passé depuis le début de mon arrière-vie. Je mesure le temps écoulé. Mélange de bonheur dégusté goutte à goutte, de sacrifices, de joies aussi puisque je vis près des miens. Bien sûr, divers problèmes de santé se greffent sur mon immobilité, mais mieux vaut ne pas trop y penser. Pour cela, je dois m'occuper davantage, car jusqu'ci, ma nouvelle vie est un peu stérile. Tout d'abord, je décide d'aller en pèlerinage à Lourdes. Au fond, j'ai toujours refusé de me montrer handicapé, simplement par orgueil. Eh bien, je vais me mélanger à eux, et vivre la vie de ceux qui sont séparés de leur famille, de ceux qui sont à l'hôpital, seuls. Mina accepte de m'accompagner. Nous prenons nos dispositions, car elle doit trouver une remplaçante pour l'école. Elle va participer au pèlerinage comme aide-infirmière.

Ce premier contact avec des gens comme moi, mais dans des situations familiales souvent dramatiques, me fait beaucoup réfléchir. Je vis en vase clos. Confortablement protégé par une cellule familiale solide, mais tous les autres ? Ceux qui ne peuvent pas et ne pourront jamais compter sur une compagne courageuse et efficace, ceux qui n'ont pas d'enfants comme raison de vivre. Ceux-là, comment font-ils ? Ils végètent et dépérissent dans des hôpitaux de tous ordres. Je voudrais faire quelque chose pour eux. Durant les huit jours de pèlerinage, j'apprends à rengainer mon orgueil et mon amour-propre. J'apprends l'humilité. Les grands dortoirs où trente à cinquante malades cohabitent dans l'espoir et parfois l'humour, sont des échantillons minuscules de la détresse humaine. Je me croyais très diminué, très amoindri par mon corps à demi inerte. Mais je découvre des misères tellement plus grandes ! Et des malades tellement plus atteints dans leur chair et dans leur moral. Je suis indiscutablement parmi les plus favorisés.

Si beaucoup de choses s'apprennent, beaucoup

d'autres se ressentent. Quand je regarde cette jeune mère résignée, poussant devant elle un chariot, avec son enfant hydrocéphale et infirme, j'ai honte! Quand je vois cette femme, une paysanne naïve et bonne qui boite très bas, — j'apprends que le soir, lorsqu'elle enlève sa jambe de bois, son mognon est blessé, et qu'elle devra bientôt être amputée plus haut — je crie intérieurement. Quand je sais que Julot, mon ami d'avant-hier, passera le reste de sa vie à l'hôpital, car il n'a plus de parents. Il est atteint au même degré que moi, à la suite d'un accident en montagne, alors qu'il gardait ses moutons à huit ans. Je pleure pour lui. Quand je sais que ce frère et cette sœur, sont tous deux atteints de sclérose en plaque, et que si cette année, ils sont dans une chaise roulante, l'année prochaine, ils se retrouveront probablement étendus sur un chariot, paralysés, ne pouvant peut-être plus parler, alors je me révolte contre moi-même, car j'ai perdu beaucoup trop de temps.

Dans le train du retour, je suis déjà devenu un autre homme.

Comme inspecteur cantonal, j'avais beaucoup de relations soit à l'Etat, soit auprès des responsables de communes et des curés. Pourquoi ne pas mettre à profit cet avantage, pour des causes qui en valent vraiment la peine?

Sitôt rentré, je décide de créer un fond d'entraide pour les handicapés rencontrant des problèmes.

Je commence bien sûr, par quelques amis qui étaient du voyage à Lourdes comme brancardiers bénévoles. Je leur parle de mon projet. Parmi eux, un brigadier de police, un architecte, un cafetier, un avocat, un médecin. Ils accueillent cette idée avec beaucoup d'enthousiasme. Ils accompagnent leurs réponses par des chèques substantiels. C'est un début prometteur. Ma machine à écrire crépite sans arrêt. Contacts, rendez-vous, toutes les cibles sont bonnes!

Nous nous réunissons et formons l'association des brancardiers en bonne et due forme, avec statuts, protocole, réunions et surtout, travail immédiat.

Il faut agrandir ce fonds et il est décidé que chacun d'entre nous va trouver deux nouvelles personnes disposées à nous aider. La suite du programme est simple. Sur la base de la liste des handicapés venus à Lourdes, nous étudions le cas de chacun, et notons ce que nous pourrions améliorer. En tant que secrétaire, je m'adresse aussi à tous les curés de nos communes proches et lointaines, en leur demandant de nous signaler les cas isolés et inconnus de personnes pouvant avoir besoin de nous. Malheureusement, nombre d'entre eux ne prennent pas la peine de répondre. Mais certains nous aident.

Dans le même temps, on me demande de faire partie du comité des choix de programme pour la radio et la télévision pour le Valais romand. J'accepte, avec une idée derrière la tête.

Dans le train du retour, j'avais donné mon adresse à plusieurs malades que je pensais pouvoir aider.

Alors, cet hiver-là, commence un curieux défilé de boiteux, de manchots, de famille complète même, venant me demander aide et conseils. Au début, cela surprenait car la plupart de ces gens m'étaient totalement inconnus. Ils avaient entendu parler de moi et étaient certains que je pourrais arranger leurs affaires. Alors, de plus en plus souvent, en plein repas, on porte la table toute chargée hors de ma chambre jusqu'à la cuisine, pour que mon coin redevienne bureau. Et là, je les écoute, j'entame des démarches, la correspondance, la course aux assurances pour les uns, la recherche d'un spécialiste pour remplacer une jambe de bois, ou des demandes de chaises roulantes à procurer dans un village de montagne, une place dans une meilleure chambre et des soins appropriés en particulier de massages pour mon ami Julot, un institut à trouver pour un enfant mongolien que sa mère ne peut plus garder.

Les journées auparavant trop longues, deviennent trop courtes, mais surtout mon dos me fait mal après quelques heures de secrétariat. Je dois alors m'étendre.

J'en profite pour faire les téléphones restés en suspens. J'avoue que depuis mes activités nouvelles, je deviens plus impatient, plus nerveux, plus tyrannique aussi. Tout le monde doit s'en ressentir. Mais j'aimerais aussi qu'ils soient conscients qu'il y a tant à faire et que je fais si peu.

Notre association accomplit un travail immense et nous suivons tous attentivement les réunions. Elle s'est considérablement agrandie. Au terme de la première année, nous comptons plus de quatre-vingt membres. Ils sont disponibles d'ailleurs pour toutes les manifestations importantes auxquelles les handicapés désirent participer. Durant les vacances, je décide de donner une nouvelle dimension à l'horizon de ma famille.

Je ne sais combien de jours, d'années il me reste encore à vivre. Je dois avaler le temps deux fois plus vite et faire deux fois plus de choses. Je propose la solution du camping, afin de visiter un peu l'Europe et nous voilà embarqués pour un premier été en Normandie. Nous préférons le camping sauvage et visitons en passant toute la vallée de la Loire et ses châteaux. J'attends dans la voiture, tandis que les miens en visitent deux à trois par jour. Je crois que les enfants en retirent beaucoup de plaisir. En arrivant en Normandie, nous voulons nous rendre sur l'Ile de Noirmoutier. Mais voilà, il y a des heures de marées. Quand nous atteignons le point de départ, la mer est loin de chaque côté de la route. Une bonne centaine de mètres. Comme nous hésitons, des gens du pays nous accostent :

— Alors, vous y allez les petits Suisses ?...

— Etes-vous certains que nous avons le temps de passer avant la marée ?

— Mais bien sûr ! L'île est à un peu plus de dix kilomètres.

— Non, n'y allez pas, c'est une folie, vous n'aurez jamais le temps, la marée est sur le retour !

— Non, c'est vrai, attendez la suivante. C'est plus prudent !

— Dans combien de temps ?

— Six à sept heures...

Je regarde ma montre. J'aime les défis et l'imprudence.

— Vas-y Yasmina, fonce !

— Vous êtes fous ! La marée monte vite, jusqu'à huit mètres au-dessus de la route. Si jamais, il y a des garde-fous au milieu, des espèces de phares avec une échelle. En cas d'ennuis, abandonnez la voiture et montez.

— C'est ça, au revoir.

La voiture roule déjà, Mina me regarde interrogative.

— Non, papa, c'est dangereux ! On n'y va pas.

— J'ai dit : on y va !

Alors Mina pèse sur le champignon de plus en plus fort. Dangereux ! Comme si nous n'avions pas connu d'autres dangers.

Jamais je n'ai vu Mina conduire aussi vite! Elle est au bout du compteur. La mer est belle. Cette mer dont j'ai si souvent rêvé, la voilà. L'odeur nouvelle des algues et des embruns me surprend.

1...2...3...4...5 km. Nous sommes maintenant au milieu du gué, quand je réalise que l'eau monte vraiment très vite, elle n'est plus qu'à dix mètres de la route.

Soudain... soudain je panique! C'est trop bête, de nouveau cet orgueil démesuré qui me pousse à agir impulsivement.

— Dépêche-toi Mina!

— Je n'en peux plus, me dit-elle les larmes aux yeux. Pourquoi joues-tu ainsi avec le danger? Je ne peux pas aller plus vite.

6 km... 7 km... 8km... L'eau commence à lécher les roues. La route brille uniformément. Je prie à haute voix. Les enfants répondent. Quel crétin! Ce n'est pas possible! Je me battrais. Mina crispée à son volant, sue de grosses gouttes de peur; 9 km, l'eau atteint 10 cm et ralentit sérieusement la vitesse. Nous voyons l'île toute proche.

— Ralentis un peu. Si l'eau salée atteint les bougies, c'est la panne!

9 km 500, nous ne sommes plus qu'à 15 km/heure et des gerbes d'eau jaillissent des deux côtés de la voiture.

9 km 800, l'eau arrive à hauteur des jantes...

— Il faudra bien y arriver.

9 km 900, la voiture a des ratés, des gens au bord nous interpellent:

— Vite, dépêchez-vous, vous y êtes presque!

Les derniers cent mètres paraissent interminables et tout à coup, nous touchons l'île. Comme un diable poursuivi par de l'eau bénite, nous continuons tout droit et traversons la petite île de part en part, sans nous arrêter. Les enfants ont battu des mains, soulagés. Mais nous n'avons même pas eu l'idée de nous arrêter pour regarder l'eau prendre possession des terres. Il paraît que la fin de la marée est très impressionnante!

Nous arrivons dans une agréable pinède au bord de l'eau. Il n'y a personne, formidable! Nous installons le camp pour quinze jours. L'aînée a maintenant quinze ans et peut aider Mina à me porter jusqu'à la plage. Nous coulons à cet endroit des jours merveilleux. Les enfants découvrent les coquillages et les crevettes grises. Après quatre ou cinq jours, l'un d'eux arrive en courant et en riant.

— Tu sais, j'ai fait le tour de la pinède, à dix mètres derrière nous, en direction du village, un grand panneau est planté sur un pin «Camping et pêche interdits».

Je comprends pourquoi nous sommes si seuls. Je décrète que tant que personne ne nous voit, nous resterons ici. Quelques jours plus tard, un garde moustachu et sympathique s'approche de nous.

— Bonjour les Suisses! Vous n'avez donc pas vu l'écriteau?

— Justement, nous venons de le remarquer. Nous sommes arrivés par la petite route, donc nous tournions le dos au panneau. Il faudrait que je trouve autre chose. Connaissez-vous un endroit calme?

Il me regarde et réalise alors que je suis paralysé.

— Ecoutez, je vais faire une exception. Pour l'instant, je n'ai rien remarqué. Vous connaissez les palourdes? C'est délicieux. Surtout avec un peu de citron. Attendez, je vais vous en chercher.

Il revient peu après, les mains pleines de ces petits

coquillages que l'on voit accrochés aux rochers. J'apprends à les manger. J'adore la nouveauté et c'est fameux! Après un moment de discussion très détendue, il nous quitte en nous promettant de revenir le lendemain. Cet après-midi là, je ramasse sur un rocher, près de mon matelas pneumatique, des coquilles Saint-Jacques et d'autres dont je ne connais pas le nom. J'envoie un des enfants chercher du citron et je fais des essais.

Dans la soirée, je me sens vraiment mal, je suis pris de vomissements et de contractions violentes de l'estomac. Le garde passe et me voyant dans cet état, il s'affole.

— Mais qu'est-ce que vous avez mangé aujourd'hui?

— Des coquilles St-Jacques et d'autres dont je ne connais pas le nom.

— Vous les avez cuites?

— Non, je les ai mangées comme ça, avec du citron.

— Folie, folie. Attendez je reviens, faites cuire de l'eau.

Il part en courant à travers la pinède, en direction du village et revient environ cinq minutes après.

— J'ai une vieille tante qui soigne toute l'île avec ses plantes. Elle seule connaît ses préparations qui sont toujours efficaces! Madame, faites-lui vite une infusion assez concentrée avec ça.

Je suis repris de convulsions violentes. Mina me tend une tasse de tisane brune. L'odeur n'est pas très ragoûtante, mais au point où j'en suis! Très vite, mon estomac s'apaise et le mal diminue.

— Buvez-en au moins un litre ce soir. Je vais vous quitter, mais je reviendrai plus tard pour vous voir. A tout à l'heure, bonne chance!

141

Mina secoue la tête.

— J'aime mieux te voir en enfant terrible, mais tout de même! Tu en fais un peu trop à ta tête. Heureusement que tout va du bon côté!

Le lendemain il n'y paraît plus et dorénavant je serai prudent.

Il est vrai que maintenant je vis à trois cents à l'heure. Comme ma vie est un éternel sursis, je veux faire un maximum de choses.

Nous vivons encore huit jours merveilleux dans la pinède aux cigales. L'eau de mer fait beaucoup de bien à ma peau. Le jour du départ, nous sommes tous un peu tristes de quitter cette île où les gens sont si accueillants. Je crois que notre ami, le garde, nous voit aussi partir avec regret.

Je sais que Yasmina est entraînée avec moi dans un courant fou. Parfois elle est exténuée. Mais je ne sais plus vivre autrement.

Un projet me tient à cœur et je veux arriver à mes fins. Un jeu appelé « Roue de l'espoir » est mis sur pied à la Télévision. Sorte de quitte ou double assez difficile où les sommes gagnées sont conséquentes. Le gain de ces jeux reviendra entièrement à des fonds pour foyers d'handicapés. Avec notre association, nous avons aussi contacté différentes organisations d'entraide, qui maintenant, travaillent avec nous. Et il ne se passe pas de jours sans que nous ne devions apporter un secours quelconque. Beaucoup de monde semble prendre conscience du problème. Plusieurs amis handicapés, me demandent d'organiser pour eux une retraite avec des séminaires et des conférences. Je m'en occupe et la première retraite a lieu. L'organisation et le transport ne m'ont pas causé trop de problèmes, car nombreux sont ceux qui, bénévolement, travaillent journellement à notre cause.

Dans le même temps, un autre et nouveau problème important surgit à mes yeux. Je fais la connaissance de deux jeunes gens de vingt-et-un et vingt-trois ans. Ils sont tous deux victimes d'accidents de voiture et de moto, et désormais paraplégiques. Ils venaient de terminer des apprentissages de mécanicien et de géomètre. Que vont-ils faire? Il ne veulent pas dépendre de leurs parents. Comme je les comprends! L'un d'eux, Victor, est dirigé vers une reconversion dans la mécanique de précision en horlogerie, et l'autre, Arthur, dans le dessin technique. Mais ce n'est pas facile de leur retrouver une place dans la société des bien-portants, car pour beaucoup encore, être handicapé équivaut à une tare, c'est être « paria ».

A force de démarches, nous finissons par leur trouver de très bonnes places, où ils peuvent rester jusqu'à leurs examens de diplôme.

Un autre cas me préoccupe, celui de Charly, atteint de la maladie de Parkinson. Il a seulement trente ans et cela me désole. Mais il a un moral de fer et décide de subir une des toutes premières interventions, qui consiste à trépanner un côté de la tête pour en opérer le cerveau, et récupérer, peut-être, le côté inverse de son corps. Cela se fait en deux phases.

Il passe une année difficile et revient me trouver heureux et presque complètement guéri. Comme il avait fait des études de commerce., et qu'il s'entend bien avec Victor, ils décident de travailler ensemble. Victor passe brillamment ses examens et les voilà tous les deux à la tête d'une petite horlogerie. Charly à la vente et la comptabilité et Victor, aux réparations. La chance a tourné pour eux. Mais combien ont cette volonté de s'en sortir dans cette société qui les rejette?

J'ai des projets plein la tête, mais il faut les laisser mûrir.

Parmi mes amis, il en est un que j'affectionne particulièrement. C'est mon homonyme.

A la suite d'un accident vers la trentaine, il est resté aveugle. Il venait de se marier avec une jeune veuve, mère de deux filles qu'il prit en profonde affection. Il est devenu colporteur pour des produits que fabriquent des aveugles, et souvent, sa femme l'accompagne. Il a trouvé en elle, ce que j'ai trouvé en Yasmina. Lorsqu'il termine une journée de vente dans les parages, il vient me trouver et chaque fois, c'est le même plaisir.

J'admire son courage et il m'arrive de le lui dire:

— Tu sais, je trouve merveilleux que tu gardes un moral pareil. Finalement, j'ai plus de chance que toi. Je ne marche plus, mais par ma fenêtre, je peux voir l'évolution des saisons et admirer les oiseaux, contempler mes enfants, mes amis. Je te trouve formidable!

— Oh! non, Marcel, j'ai la vie beaucoup plus belle que toi je peux au moins me déplacer, et puis les choses, je les sens autant que vous les voyez. Quand vraiment cela en vaut la peine, Rose me les dépeint, ou les enfants, et alors, crois-moi, c'est encore plus beau que nature. Des fois j'aimerais te prendre par la main et te guider sur des chemins que je connais par cœur, mais voilà... Tout en étant très proches nous ne pouvons pas grand-chose l'un pour l'autre.

Lorsqu'il prend mes mains dans les siennes, nous ne parlons plus. Nous nous comprenons. Un courant passe entre nous.

CHAPITRE 5

ALERTE

Les enfants me donnent de grandes satisfactions. L'aînée suit l'Ecole Normale; elle prend le chemin de ses parents. François commence son collège et la petite est à l'école primaire.

Comme chaque été, Yasmina prend des cours fédéraux de perfectionnement. Cette année-là on lui demande d'en donner à son tour à ses collègues du Valais. Elle accepte et cela l'accapare beaucoup. Je me rends compte combien cela doit être captivant mais, paradoxalement, j'ai le sentiment qu'elle m'échappe. Tellement habitué à la voir entièrement préoccupée par mon état et mes affaires, à la sentir évoluer dans mon ombre, je me sens contrarié et je deviens parfois irascible. Conscient d'exagérer, je continue malgré moi, poussé par mon orgueil, mon amour-propre.

Volonté de dominer n'importe quelle situation malgré mon état et peut-être à cause de cela! Jeu dangereux que je maîtrise encore... Jusqu'à quand?

Après ces coupures dans notre quotidien, provoquées par l'éloignement, Yasmina rentre toujours emballée, comme régénérée. Elle trouve ces contacts enrichissants. Comme elle est exubérante, elle me raconte les gens, les soirées, les cours, les amis, les découvertes. Je suis content pour elle, mais je souffre. Réaction insensée, alors qu'elle me sacrifie tout à

145

longueur d'années. Je dois parvenir à lutter contre mes obsessions, sinon je vais empoisonner notre vie!

En automne, le destin me rappelle à l'ordre. Yasmina, soudain s'efface sur le sol, comme un enfant qui ne sait pas marcher.

Nous décidons de consulter son cousin, un professeur établi à Genève. Elle doit rester à l'hôpital pour des examens. Je mesure alors le vide. La vie est triste sans mon soleil. Je n'accepte pas d'être ainsi amputé d'une partie de moi.

Et elle, comment fait-elle pour me supporter jour après jour?

Je réalise avec effroi que je la considère comme mon bien, ma chose et que j'en dispose à ma guise.

Temps de réflexion, de mea culpa, de résolutions...

Les pertes d'équilibre sont provoquées par une insuffisance du liquide céphalorachidien. Deux fois par semaine, un ami nous emmène, les enfants et moi, pour la voir. Elle souffre beaucoup car elle doit subir un traitement pénible et de nombreuses ponctions lombaires. Il faut un mois pour parvenir à rétablir cet équilibre.

Encore affaiblie, elle me revient souriante, égale à elle-même. Je veux apporter patience et amour à mon bonheur retrouvé, encore chétif et fragile.

L'été suivant nous partons visiter l'Autriche avec des amis. Nous assistons à Salzbourg, à une messe du couronnement pour commémorer le 200e anniversaire de la naissance de Mozart. Emouvante cérémonie, empreinte d'émotion et de faste.

Ensuite nous descendons sur l'Italie du Nord par Trieste. Chaque année je veux leur en montrer davantage. Nous visitons successivement la Belgique, la

Hollande, la vallée du Rhin, la Bretagne, l'Espagne. Ma femme et mes amis, rentrent à chaque fois repus de visites et d'histoire, car je ne leur épargne rien. Ils auront vu un maximum de choses dans chaque pays.

Mon état de santé est stationnaire depuis que j'avale la vie goulûment. J'ai passé le cap des treize ans de handicap. Aucun médecin n'y croyait. Quand le moteur câlait un peu, que ma mécanique montrait des signes d'essoufflement, ils ne donnaient plus cher de ma carcasse.

Mina continue de me prodiguer des soins attentifs et affectueux. Deux fois par semaine je dois avoir recours à des moyens artificiels, pour régler les problèmes digestifs.

La pauvre Mina passe alors ses journées à courir entre l'école d'en face et la maison.

La ronde des jours ne lui laisse pas beaucoup de répit entre les corrections de travaux d'élèves, la maison, les commissions, les préparations de cours, les soins. Les jours de congé, il reste le jardin à entretenir et les fruits à cueillir dans le nouveau verger. Les enfants doivent aider aussi et cela provoque des frictions. De toute façon, ils n'ont pas le choix. Les études les absorbent passablement aussi. L'aînée a maintenant terminé son diplôme et commence d'enseigner dans un village proche de Sion. François est interne dans un collège du Bas-Valais. Quant à Ariane, elle commence l'école de commerce, sans conviction, ne sachant que choisir.

Le soir, très souvent depuis quelques mois, j'ai les pieds et les chevilles enflés. Je n'en parle pas à Mina, mais cela me préoccupe suffisamment pour que je contacte le médecin.

En attendant, les problèmes que me posent les

handicapés me changent les idées. Le Droit que j'avais appris pour me défendre me sert en de nombreuses occasions. Si j'avais pu prévoir vivre aussi longtemps, j'aurais entrepris, voici dix ans, des études universitaires et maintenant j'aurais ma licence. J'ai trop souvent les poings liés par cette absence de diplôme. Jour de visite médicale. Ce que je craignais s'avère exact. Le médecin m'apprend que mon taux d'urémie est supérieur à 1,5.

Je sais que mes reins ne fonctionnent plus très bien, je demande des précisions sur ma maladie. Il me les donne de façon trop évasive à mon goût. Il reviendra la semaine prochaine. En attendant je veux savoir. Je me documente sur le pourquoi et le comment de ce mal. Je comprends alors, que dans mon cas, il sera évolutif. On va essayer de me maintenir ce taux le plus bas possible et le plus longtemps possible aussi, au moyen d'un régime strict. Si vraiment je l'applique à la lettre, je ne pourrai bientôt plus rien manger d'agréable, si ce n'est des pommes de terre vapeur sans sel. Bel avenir !

Quand le médecin revient, j'essaie de le faire parler davantage. Il veut se montrer rassurant, mais je vois bien qu'il n'y parvient pas.

— Vous savez, Docteur, ne vous fatiguez pas. Vous me cachez la vérité. Je sais que je suis au premier stade de cette urémie évolutive. Déjà, je suis un peu empoisonné. Les pieds et les chevilles enflés en sont les premiers signes. Ensuite, le deuxième stade, vers 1,7, 1,8, ce sera les genoux, puis les bras, puis finalement ce mal atteindra le cerveau. Alors se grefferont des ennuis pulmonaires et respiratoires, imperceptiblement d'abord, avec raffinement ensuite. Cela se manifestera par des sautes d'humeur invraisemblables, puis ce sera des petites pertes de mémoire, puis le coma des urémiques, qui se caractérise par l'engourdissement, la paralysie lente de tous les membres. Mais à ce stade, 2,0 environ, je sais que le cerveau résistera très longtemps et que même en état comateux, la perception des choses me restera jusqu'au dernier souffle, mis à part quelques trous ici et là. Je finirai probablement d'un œdème du poumon, en espérant que mon cœur ne soit pas trop résistant. Juste ou faux?

Les yeux du médecin ne m'ont pas quitté, passant de l'étonnement à l'impuissance navrée.

— Je vois que vous êtes parfaitement renseigné sur l'évolution de la maladie. Trop même. Seulement je sais que l'on ne peut rien vous cacher. Nous n'en sommes cependant pas encore là! Ce n'est qu'un timide début, heureusement! Et nous allons parer à un mal plus important. Votre régime doit en effet être absolument strict, et si votre taux d'urée ne diminue pas rapidement, nous irons voir à Genève, le professeur, votre parent, qui est parfaitement à même de vous sortir de ce mauvais pas.

— Vous croyez vraiment?

— Absolument, mais dites-moi, d'où vient chez vous ce besoin de savoir le plus loin possible. Je sais que vous avez réagi de cette manière depuis votre accident. Il y a des gens qui fuient la vérité, qui la refusent. Vous, vous allez au-devant d'elle.

— Oui, je sais, mais ne croyez-vous pas qu'en fuyant cette vérité comme vous dites, on avance un peu plus vite vers l'échéance finale? Puisque l'on ne réagit pas! Pour ma part, je ne puis lutter que lorsque l'adversaire m'est connu, de même que ses armes. Mais rassurez-vous, j'ai encore trop de choses à faire pour abdiquer devant la maladie. J'ai surtout perdu beaucoup de temps à attendre la Carmarde. Maintenant, il faut le rattraper.

— Vous avez parfaitement raison et si tous les malades réagissaient comme vous, il y aurait davantage de victoires et notre métier nous paraîtrait souvent moins absurde!

Nous nous quittons sur une vigoureuse poignée de mains. Je crois pouvoir affirmer que ce jeune médecin, autrefois mon élève, est devenu un ami.

— Je vous demande de ne rien dire à mon épouse de l'évolution prévue.

— Rassurez-vous, je ne lui parlerai que de régime.

Depuis ce jour-là, je reçois des petits plats à part. Et je remarque aussi, que bien des choses susceptibles de me faire envie, disparaissent de la table familiale. Ainsi, discrète, une fois de plus Mina me prouve son attention et son amour. Je dois vraiment faire taire en moi mes impatiences et mes colères, qui trop souvent sourdent comme un volcan. Je suis malgré tout anxieux et Mina le voit bien.

Heureusement, approche le temps du pèlerinage et je sais que cela me fera du bien. Je parviendrai à m'oublier. Je rentrerai dans le rang, avec les autres et au retour je serai reconnaissant de tout ce que j'ai en plus.

Ma fille aînée parle de fiançailles et j'ai de la peine à admettre qu'elle soit sortie de la coquille. Alors, toujours au nom de ce fichu orgueil, de cette volonté de dominer, j'exige de mon futur beau-fils, une lettre de demande en mariage, comme on le faisait il y a cinquante ans. J'ai conscience de l'absurdité de cette demande, puisque cela n'a plus cours. Mais, mes enfants m'appartiennent encore et j'ai tellement lutté pour en faire ce qu'ils sont, que je ne les laisserai pas facilement à d'autres. Avant, on doit me prouver que l'on y tient et que l'on en est digne.

Docilement, ce jeune homme m'écrit et très officiellement, nous l'invitons. Ce premier contact est amusant pour moi. Je le sens crispé, nerveux. Suis-je donc si impressionnant? Le gros méchant Raminagrobis devant la petite souris affolée. Ce rôle ne me déplaît pas et je suis satisfait d'arriver à faire oublier que je suis handicapé.

L'année suivante, ma fille se marie, dans cette vallée merveilleuse qui berça mon enfance.

J'évalue le chemin parcouru. Quatorze ans, alors que toujours je suis en sursis.

Durant un an environ, nous sommes arrivés à maintenir mon taux d'urée entre 1,1 et 1,3. Mais en ce moment, il augmente dangereusement. Je dois me rendre à Genève pour des examens. Dix jours plus tard, le professeur décide d'une opération. Un de mes reins ne fonctionne plus du tout, ce qui explique l'affaiblissement de mon organisme, qui ne peut plus lutter contre l'urémie. J'atteins 2,1. Je suis découragé. Pour la première fois je ressens ce sentiment d'impuissance. Les enfants deviennent grands, ils ont moins besoin de moi. Pour ma femme, ne suis-je pas davantage un poids qu'autre chose? Non pas qu'elle me le montre, bien au contraire. C'est plutôt sa résignation et sa gentillesse qui me déconcertent: Mais que retire-t-elle de la vie?

Il faut toute l'habileté géniale et la sûreté du professeur, pour extraire ce rein atrophié et inutile. L'opération est longue et difficile. Mais je sais que je ne peux trouver meilleur maître à mon mal. Ce rein est celui qui fut le plus atteint par les électrodes, il y a quinze ans.

Lentement, je reprends goût aux premiers rayons du soleil le matin, à la beauté des roses à mon chevet, à la vie. Je n'y parviens pas seul. Mina a dû reprendre sa classe et j'ai auprès de moi plusieurs fois par jour, une amie, une merveilleuse psychologue, qui me comprend et m'aide à revivre. C'est l'épouse de notre cousin le professeur. Nous nous connaissons relativement peu, mais son intuition, son sens poétique, cette transparence bleutée du regard, en font un être à part. Comme si les laideurs terrestres ne pouvaient l'atteindre. Sa voix douce est nuancée par le «r» qu'elle roule harmonieusement. Je pense que, Mina mise à part, elle seule peut comprendre la détresse qui m'habite par moment. Elle semble aller au-delà des êtres, et des choses. Cet ange, hors du temps, me marque d'une empreinte profonde. Ce qu'elle touche, ce qu'elle regarde, devient beau et le seul fait de sa présence, souvent silencieuse, redonne à ma vie une nouvelle dimension.

Elle me réapprend avec patience à m'accepter tel que je suis. Désormais, je n'ai qu'un tiers du rein restant en activité. Mon sursis se raccourcit. Malgré cela, il me reste beaucoup de choses à faire. Très vite mes genoux commencent à enfler. Le mal gagne du terrain et je ne suis plus vraiment de taille à lutter.

Je suis soucieux, car l'été suivant, François m'annonce sa décision d'entrer à la Trappe d'Aiguebelle. Il a terminé sa maturité et son service militaire. Il est bien jeune pour décider de tout quitter. Je ne discute cependant pas sa décision puisqu'elle semble prise.

Je le connais si peu, mon fils. Je l'ai éduqué sévèrement, durement, en ne laissant peut-être pas suffisamment éclore sa personnalité. Il est secret, un peu renfermé et ces six ans d'internat l'ont éloigné de nous.

Me revient en mémoire le douloureux face à face avec mon père, au seuil de nous quitter.

Alors que lui-même regrettait notre manque de communication, je recommence l'histoire, identique, sans parvenir à appliquer ce que je croyais avoir compris.

Je l'ai tenu éloigné, je l'ai « éduqué » c'est vrai mais l'ai-je assez aimé ?

Ariane quant à elle, me pose des problèmes. Elle est plus espiègle, plus indisciplinée. Elle ne sait qu'envisager pour l'avenir ; cela me désole. Aussi, j'ai pris la décision de lui donner un métier solide et d'avenir. Elle fera ses études de laborantine en chimie alimentaire, une place se présentant à ce moment-là. Après trois ans, elle obtiendra un diplôme.

En attendant, elle s'attarde trop souvent après les cours, et je sais par des amis, qu'elle rencontre souvent un garçon. Commence alors une période de conflits, de tension, de crise.

Un an environ après le départ de François, nous recevons une lettre bouleversante, nous annonçant son retour, et nous suppliant de ne pas lui poser de questions, sa décision étant assez douloureuse. Nous respectons sa volonté et il reprend sa place auprès de nous pour de courtes périodes, puisqu'il entreprend des études de lettres à l'Université de Fribourg et fera une licence après trois ans. Il porte en lui un certain mal de vivre, une sorte de révolte contenue. Je me tourmente au sujet de nos relations presqu'inexistantes.

C'est à Fribourg qu'il rencontre celle qui deviendra sa femme.

A nouveau, le temps des vacances. Le mal insidieux

me ronge et me déroute. Je deviens intransigeant envers chacun. Ne le suis-je pas avec moi-même?

Si je pouvais interdire à Mina de poursuivre ses cours d'été! Je sais bien que cela n'a pas de sens, elle ne comprendrait pas et je n'ai nullement le droit d'exiger d'elle un sacrifice de plus.

Voilà dix-huit ans qu'elle se dévoue jour après jour, sans n'être rien d'autre que mon infirmière et ma compagne. Nous menons des vies parallèles en dépit de la tendresse. Elle est malgré tout ma femme et je sais tout au fond de moi que jamais elle ne m'a trompé. Mais cette absence totale de relations physiques doit lui être aussi atroce qu'à moi. Alors? La tentation existe. Je me torture journellement, poursuivant mes obsessions et mes complexes, et je commence à la torturer. J'ai besoin de lui faire mal, j'ai besoin qu'elle sache que j'ai mal à ce que je n'ai plus!

Peu avant son départ, elle entreprend les grands nettoyages du chalet. On m'a déposé — toujours cette dépendance physique vis-à-vis des autres qui me devient insupportable — comme un paquet, sur un matelas, à l'ombre d'un mélèze. L'air est doux, les enfants aident leur mère. Je relis Ramuz qui m'est cher.

En fin d'après-midi, on me remet dans mon lit d'hôpital, dans ma prison sans barreau. La soirée se déroule devant le feu, en discussion, en lecture. Puis, chacun se retire dans sa chambre pour la nuit. Yasmina s'endort paisiblement, épuisée par ces travaux ménagers ingrats.

J'écoute son souffle, je la regarde. Les années l'ont miraculeusement conservée, malgré les épreuves. Quel Ange!

Ne parvenant pas à trouver le repos, je suis tenté de

prendre mon revolver. Je ne parviens pas à mettre la main dessus et je commence à m'agiter, à m'énerver malgré moi. J'allume et me tournant sur le côté, dans la mesure de mes moyens, je cherche encore, mais cela réveille des douleurs dans le dos. Mina ouvre les yeux.

— Qu'y a-t-il? tu es souffrant?

— Non, agacé, je cherche la seule chose qui m'appartienne encore, où est-elle?

Très tendrement Mina me caresse les cheveux.

— Calme-toi, Marcel, je t'en prie, sois raisonnable!

Est-ce moi cet homme violent et dur qui repousse ses mains sans ménagement?

— Etre raisonnable toujours et encore... au nom de quoi? Je vais claquer bientôt et c'est moi qui déciderai du moment. Vous m'avez tous assez supporté. Si tu es encore avec moi, c'est par pitié, et je ne veux pas de pitié. Rends-moi ce revolver, il est à moi! Je le veux!

— Non, Marcel, je t'en supplie laisse-moi. Il est bien caché et personne ne pourra le trouver et se blesser.

— Donne-le moi, tu entends?...

J'ai crié. François et Ariane vont sûrement se réveiller. Mais c'est un autre moi-même qui réagit, comme en état second, je ne peux plus me comporter autrement.

Je suis hors de moi, je deviens un monstre. Pour la première fois, Mina me tient tête; je sais qu'elle le fait par amour mais je ne veux pas l'admettre.

Je fais alors une chose indigne de moi; je l'empêche de dormir, en insistant, en revenant à la charge.

Au petit matin seulement, en l'entendant pleurer doucement dans son oreiller, secouée de sanglots, je réalise l'absurdité de la situation et mon ignoble

155

comportement. Je lui demande pardon, comme un enfant. !

Nous n'en reparlerons plus jamais. Mais le hasard a provoqué une chose inattendue, à quelque temps de là, une fois repris le rythme du travail et de l'automne.

Nous avons, comme employée de maison, une Sicilienne, travailleuse, zélée, la femme trop parfaite. elle nous donne brusquement son congé, sans explication, si ce n'est qu'elle rejoint son fiancé dans une ville voisine.

Mina, intriguée par une diminution impressionnante du linge de maison, l'envoie en commission, la veille de son départ et, durant ce laps de temps, fait une perquisition dans sa chambre. Les valises déjà prêtes débordent. Elle soulève quelques affaires et tombe sur des sous-vêtements nous appartenant, des draps , des taies d'oreillers, dont une pleine de riz et l'autre pleine de sucre, prélevés dans nos réserves. Elle referme les valises et nous appelons un agent de la sûreté.

En attendant son arrivée, nous parlons de divers objets de valeurs, devenus introuvables, dont de l'argenterie et le trop célèbre revolver, que nous avions rangé ensemble dans mon bureau.

Dès l'arrivée de l'agent et le retour de l'employée, nous demandons à celle-ci de nous montrer ses valises et leur contenu. Elle refuse, mais l'agent montre sa carte et la menace de prison si elle ne s'exécute pas.

Elle prend peur et accepte. La grande partie du contenu de ses bagages nous revient et quand je lui demande où est le revolver militaire, elle me nargue et répond:

— Si vous le retrouvez, vous êtes très fort. Il n'est plus en Suisse.

Ainsi s'expliquaient brusquement les trop nombreuses valises transportées à chacun de ses déplacements chez son fiancé. Nous n'avons pas déposé plainte mais demandé son expulsion de Suisse et celle de son ami. Cette arme fait sûrement son office dans la maffia sicilienne. Sans le savoir, cette voleuse m'a peut-être sauvé la vie, en me supprimant une tentation. Quand même, cela m'afflige de m'être fait voler le seul souvenir que je conservais de ma période de service militaire.

Mon aînée enseigne et habite ailleurs. François poursuit ses études à l'Université et nous sommes seuls avec Ariane. Au retour de ses cours fédéraux cette année-là, je trouve Mina particulièrement exubérante. A nouveau, la suspicion prend le pas sur la raison.

Les classes reprennent pour ma femme et Ariane commencent ses études de laborantine. J'apprends, incidemment, qu'elle a un flirt avec un jeune homme de son âge. Cela m'agace et m'inquiète. Aussi, je la remets sèchement à l'ordre en lui interdisant de le revoir. Peine perdue. Chaque jour ils se croisent sur leur chemin et inventent mille ruses pour se retrouver. Nos affrontements seront de plus en plus fréquents. Malgré ses seize ans, je la corrige parfois vertement, trop sévèrement peut-être.

Un ami, pensant bien faire, m'avertit chaque fois qu'il les rencontre et moi, ne voulant pas perdre la face, je sévis.

Ce n'est pas parce que je suis cloué au lit, que les enfants doivent abuser de la situation.

Quand Ariane rentre, je sais en principe d'avance si elle a outrepassé mes injonctions.

— Viens ici, je sais que tu l'as vu!

— Oui, c'est vrai, mais nous ne faisons aucun mal!

— Approche-toi!

Elle fait deux pas près du lit et je lui décoche des paires de claques à lui dévisser la tête.

— Ne t'avise pas de recommencer.

Elle monte dans sa chambre sans sourciller. Quelle est cette violence qui commande mes gestes? Je m'en veux et pourtant je continue jour après jour. Des douleurs aussi aiguës qu'imprévisibles me tenaillent de partout, mais j'encaisse. Cela ne changerait rien d'en parler.

Dans le courant de septembre, Yasmina reçoit une lettre, trop amicale à mon goût, bien qu'elle ne contienne rien de compromettant. Cela m'irrite. Elle semble heureuse de ces nouvelles.

Alors recommence au fond de moi, une torture stupide et ravageante. Je me déteste d'être ainsi orgueilleux et jaloux. Suis-je vraiment sincère quand je prétends ne pas pouvoir lutter là-contre?

Est-ce que j'ai tenté de le faire? Dans l'immédiat, j'évite de me poser la question et je réamorce mon travail destructeur.

Bien sûr, je ne puis parler devant Ariane, alors j'attends la nuit. Quand enfin nous sommes seuls, je passe à l'attaque soudaine, violente!

— Pourquoi semblais-tu si heureuse de recevoir cette lettre?

— Mais simplement parce que cela me remémore les cours de cet été et cet homme est quelqu'un de bien, amical, gentil, intelligent, ouvert aux autres. Tiens, j'aimerais bien que vous fassiez connaissance.

Son innocence et sa sincérité me laissent pantois. Pourtant je persiste:

— Mais c'est ça! Amène ici tous les hurluberlus qui vont bien se payer ma tête! Tes satanés cours loin de nous ne te suffisent donc pas?

— Qu'est-ce qui te prend? Tu es sérieux?
J'explose!

— Evidemment que je suis sérieux! J'en ai assez de ces histoires dans mon dos, de tes soi-disant camarades, de tes activités extra-familiales. Ça suffit!

— Mais Marcel, tu deviens injuste! Comment peux-tu me parler ainsi? Tu sais bien que je n'ai jamais rien fait de mal et que je t'aime malgré...

— Malgré mon foutu caractère... et mon handicap! Dis-le.

— Tais-toi, je t'en prie, tu me fais mal.

Sa voix tremble. Elle semble bouleversé.

— Non, je ne me tairai pas! Et tu me diras tout ce que tu as fait cet été, tes soirées, tes amis, tes plaisirs. Parce que moi, je n'ai rien de tout ça, je n'ai même plus de femme digne de ce nom, puisque je ne puis plus l'aimer, puisqu'elle ne peut plus m'appartenir!

— Comment oses-tu dire des énormités pareilles. Tu deviens injuste et insultant.

— Je suis une charge, je le sais. Les enfants grandissent alors bientôt tu seras débarrassée de moi!

— Arrête, arrête, ce n'est plus supportable!

— Voilà, tu l'as dit, je ne suis plus supportable, j'ai compris, je t'ennuie et te pèse.

— Mais non, arrête, je n'en peux plus.

Elle pleure longtemps, tandis que je ronge mon frein agacé et coupable.

D'autres longues nuits sans sommeil, d'autres disputes inutiles de ma part. Le jour, je me reprends, mais dès que la nuit règne, je suis en proie à un délire démoniaque et je recommence mes interrogatoires.

— Qu'éprouves-tu pour lui, que te veut-il?

— Mais rien, je t'assure!

— Ce n'est pas possible! Tu es jeune encore, belle,

aucun homme normalement constitué ne pourrait rester insensible à tes charmes, alors dis-moi, est-ce que c'est arrivé?

— Arrête, c'est assez, c'est affreux! Dans quelques heures je dois donner mes cours, je suis épuisée. Je t'en prie, laisse-moi dormir. Cesse de te tourmenter inutilement.

— Non je n'arrêterai pas! Je veux savoir, et cesse de pleurer, tu m'agaces!

Je suis mesquin, odieux! Qu'il est loin ce temps où tout baignait dans la paix. Que de promesses ne lui ai-je pas faites, ne me suis-je pas faites à moi-même? Qu'en reste-t-il?

Mon état me révolte maintenant. Durant une longue période j'ai cru m'y faire. Les autres pensent d'ailleurs encore que je suis résigné. Résigné! Quel mot ridicule! Il n'a de valeur que pour ceux qui n'en comprendront pas le sens réel. Pour moi, de toute façon, résignation et synonyme de lâcheté. Je préfère la lutte à la résignation. Seulement pour lutter, il faut des armes, et qui dit armes dit violence contre les autres, contre soi-même. Finalement chacun, même l'entourage doit en payer le prix. Dès lors, il est difficile d'établir la limite entre ce qui doit être entrepris pour se battre et ce qui va représenter une injustice vis-à-vis des autres.

Durant des mois je suis implacable, inquisiteur, invivable et je ne suis pas fier de moi.

Je n'en prendrai vraiment conscience que la nuit où, n'y tenant plus, Ariane frappa à notre porte et entra furieuse.

J'étais une fois de plus en train de tourmenter sa mère. Ariane m'apparut soudain, comme une jeune femme volontaire et aussi cinglante que je peux l'être. Elle qui a toujours courbé l'échine, tremblé devant moi, accepté mes ordres sans discuter, voilà que je découvre une sorte de Valkyrie!

— Papa, ça suffit! Tu es ignoble, tyranique, tu joues au chat et à la souris avec maman. Crois-tu que c'est drôle de t'entendre hurler comme un enragé jusqu'au premier? et ceci toutes les nuits depuis des semaines.

— Tais-toi, impertinente!

— Non pour une fois je ne me tairai pas, je te tiens tête. Et sur ce sujet-là, je te tiendrai tête jusqu'au bout. Tu as réalisé dans quel état tu as mis maman?

Tu as vu ses cernes le matin, son air accablé? Triste? Tu vois ce que tu fais de celle qui t'a donné sa vie et sa jeunesse sans en soustraire une minute! C'est honteux! Qu'auras-tu de plus quand elle craquera? Car elle craquera, c'est sûr à ce rythme-là! Ne compte pas sur moi alors pour faire l'esclave. Je n'accepte plus ton despotisme, ni envers moi, ni envers les autres. Que fais-tu de la personnalité d'autrui? Rien. Tu piétines tout, sans respect. Tu ne veux pas de pitié, d'accord! Mais c'est en te comportant de la sorte que tu fais pitié. On dirait que tu deviens dingue! Si tu ne te maîtrises plus, je fais venir le médecin et on t'envoie à l'hôpital, c'est ça que tu veux?

Maman, prends ton coussin et monte au premier, il y a assez de lits vides. Au moins tu te reposeras. De toute façon, papa a besoin de réfléchir, de se reprendre. Laissons-le, viens!

Je vois Mina prendre son oreiller comme un automate et se diriger vers le corridor. Je suffoque de rage! Ariane tient la poignée de la porte et soutient mon regard de façon arrogante. Puis elle la ferme posément. Recevoir une leçon de ma fille à qui je donne encore des corrections, c'est le monde à l'envers. Deviendrait-elle insoumise?

Le premier moment de colère passé, je dois me rendre à l'évidence. Ariane a raison.

Personne ne reparle de cette nuit, mais j'ai modifié sensiblement mon comportement.

A quelque temps de là, je dois subir d'autres examens. Il semble qu'un nouveau médicament puisse stopper, du moins pour un moment, la montée du taux d'urémie. Autant accepter cet essai. Je parle au médecin de ces derniers mois agités, de mon comportement étrange.

Il m'informe qu'une telle attitude trouve son origine dans le taux élevé d'urée. Pauvre Mina, ça promet! Il lui parle d'ailleurs longuement et lui donne des fortifiants, la trouvant trop affaiblie. Dire que tout est de ma faute.

Sans discontinuer, l'idée de retrouver le responsable de mon malheur me poursuit. Je n'en ai jamais parlé à mes proches. Le reverrai-je? Que devient-il? Il court, lui, il se porte comme un charme!

Le temps passe. Ma fille aînée nous a donné deux filles. Durant cinq ans, j'ai des affrontements terribles avec Ariane. Le plus dur se produit, alors que l'aînée vient d'accoucher de son deuxième enfant. Nous sommes sur la terrasse de l'hôpital, lorsque, regardant le paysage avec des lunettes d'approche, j'ai soudain dans mon champ de vision, deux jeunes gens enlacés qui s'embrassent voluptueusement.

Je me mets à rire et dis à ma femme:

— Non mais, regarde-moi ces deux fadas!

Reprenant mon observation, je pousse un hurlement en reconnaissant ma fille qui vient de lever la tête. Eux, innocents, ils n'ont rien remarqué.

Dire que je la croyais devenue sage, obéissante!

Le retour à la maison est silencieux, mais lourd de menaces.

Arrivé chez nous, je l'appelle à côté de mon fauteuil roulant, et là je ne me contrôle plus. Les coups partent dans tous les sens. Je vois rouge car elle reste silencieuse et immobile.

Par deux fois Mina tente d'intervenir, mais je la rabroue sèchement. Tout à coup, j'entends une voix mâle connue et puissante qui m'insulte. Il était temps, car Ariane venait de tomber à genoux à côté de moi.

— Tu es devenu cinglé ou quoi?

Le parrain de ma fille la relève et lui intime l'ordre de rejoindre sa mère au premier.

— Qu'est-ce qu'il se passe de si épouvantable pour que tu lui flanques une raclée pareille? Ça va pas non?

— D'abord, qu'est-ce que tu fais ici? Tu habites Fribourg, non? Alors comment se fait-il?

— Un pur hasard, mais heureux pour ta fille? Tu voulais la laisser sur le carreau ou bien? Qu'a-t-elle fait de si terrible? Elle va avoir dix-neuf ans? Nous avons toujours été comme des frères tous les deux. Alors maintenant, tu te calmes, et tu racontes.

Reprenant mes esprits, je lui conte la scène et il se met à rire!

— Ce n'est que ça? Mais j'ai au moins cru que tu allais être grand-père!

— Je t'en prie, tu te rends compte qu'elle me tourne en bourrique.

— Mais non, elle est normale, c'est tout. Ce qui l'est moins, c'est ta réaction violente. Tu as dû lui faire très mal, tu as une force terrible! Tu aurais pu provoquer un malheur. Comment faisais-tu, toi? A son âge, tu ne vas pas me faire croire que...

— Non, mais au moins on se cachait!

— Eh bien, vous étiez de beaux hypocrites! Elle est plus franche que toi.

C'est sur un ton moins pénible que se termine notre conversation. L'alerte est chaude, car Ariane reste couchée deux jours avec de violents maux de tête. Je réfléchis et remercie le ciel que cela ne se soit pas mal terminé.

Finalement, ma cadette me demande pour son anniversaire, de recevoir ce jeune homme à la maison. Je lui dois bien une petite consolation..

L'année suivante, elle passe ses examens de laborantine et la voilà fiancée.

Pour ma part, grâce aux médicaments, je suis plus calme, mais le mal me ronge toujours.

Ariane se marie, François aussi, dans cette vallée chère à mon cœur, à trois ans d'intervalle.

Pour ma part, je n'ai pas perdu de temps et les projets pour le foyer d'handicapés avancent. Maintenant, j'aurai encore davantage de temps pour m'en occuper.

Je mesure enfin toute la bêtise de mon comportement lors de cette trop triste période, où je tyrannisais tout le monde, alors que j'aurais pu dépenser mon énergie à autre chose, de plus intelligent, de plus efficace.

Ariane partie habiter la Suisse allemande pour des raisons professionnelles, est revenue quelques semaines en avril, deux ans de suite, pour mettre au monde ses deux premiers enfants, une fille et un garçon. Elle ne perd pas son temps.

Après nous être sentis un peu seuls les premières années du départ des enfants, nous voilà riches de quatre petits-enfants.

Quelle vie exubérante, quelle animation quand ils se retrouvent tous au nid!

Lors des fêtes de Noël, je ressens une grande émotion devant les cris admiratifs des tout petits, devant leur beauté pure et leurs yeux agrandis.

Je ne pensais pas, vingt-deux ans plus tôt, lors de mon accident, que la vie me dispenserait encore tant de bonheur. Nous avons retrouvé, Yasmina et moi, une certaine plénitude, une intimité nouvelle, douce. Combien durera encore ce sursis inespéré?

Maintenant, je me sens coupable d'avoir osé imaginer que je pouvais disposer de ma vie, d'avoir laissé trop longtemps cette tentation me poursuivre. La vie est un don si précieux et il est si difficile de la retenir.

Ariane attend son troisième enfant, aurai-je encore le temps de le connaître?

Aussi souvent que possible, toute la famille se rassemble autour de nous. J'aime cette ambiance chaude et joyeuse où, à chaque instant, les enfants inventent de nouvelles merveilles.

En été, le mal me laissant un peu de répit, nous retournons en Espagne, Yasmina et moi, dans notre petit appartement. Des amis nous accompagnent.

Je ressens à nouveau cette sensation de liberté, lorsque je pars au large sur la mer, étendu sur le matelas pneumatique, et que, me laissant basculer dans l'eau, je flotte, je nage. Ces jambes demeurées trop longtemps inutiles ne me gênent plus, elles suivent inertes, bien sûr, mais je parviens à les oublier, je savoure cette impression d'être «comme tout le monde». Un ami se tient à proximité avec le matelas, mais je peux fort bien me débrouiller tout seul.

Sur la plage, Mina m'observe anxieuse, sans cesse en alerte. Comme son amour est grand, inconditionnel!

Nos regards s'accrochent souvent, et ce sont de multiples miettes de bonheur que nous glanons à nouveau au fil des jòurs. L'avenir nous est tellement compté, mesuré. Ne plus rien gaspiller... Jamais!

L'eau de mer me fortifie. L'air doux et les senteurs marines me comblent. Le soleil m'apporte de la joie.

A notre retour, début septembre un téléphone nous apprend la venue d'un nouveau petit-fils. Cette fois Ariane est restée à Zurich, la naissance semblait se présenter difficilement. Tout s'est pourtant bien passé.

Nous les rejoignons en novembre pour le baptême. J'ai beaucoup de peine à réaliser qu'elle est déjà mère de trois enfants, alors que pour moi, elle est encore une gamine!

Quelle richesse que ces jours mis bout à bout...

A ce moment-là se pose pour moi un cas de conscience. Ariane aborde un sujet, que volontairement ou non, nous n'avons jamais touché en famille. Elle me pose des questions précises sur mon accident et sur... la raison... le responsable...

Je suis arrivé, après des années de luttes intérieures, à supprimer de mon esprit cette idée de vengeance. Je suis parvenu à acquérir une sorte de philosophie tranquille, effaçant en moi tout ressentiment.

Lui parler de l'accident, je veux bien. Aborder les circonstances, parler de ce cours, oui. Mais prononcer le nom de celui qui fut responsable, je ne peux pas, je ne peux plus.

Je tente de le lui expliquer. Elle a de la peine à admettre. Maintenant que la voilà adulte, elle voudrait remettre certaines choses à leur place. Seulement, je la connais, elle me ressemble trop. Si un jour elle se trouvait face à lui, ce serait terrible.

Il y a en elle tant de fougue, de soif de justice, de questions. Non, vraiment il vaut mieux que je garde ce nom pour moi et que le jour venu, je l'emporte dans la tombe. Ainsi, il ne blessera plus personne.

A Noël, la maison s'anime à nouveau, avec nos cinq petits et nos trois grands accompagnés de leurs moitiés. François nous annonce ce soir-là, une naissance pour mai. La vie est vraiment la plus forte!

J'aimerais connaître aussi cet enfant-là. Tenir encore!

L'hiver et le printemps filent, entrecoupés par des crises puis des accalmies. En mai, j'ai dans les bras un nouveau petit-fils.

Mais, dès ce moment-là, ma santé décline de plus en plus vite!

Avec Yasmina, nous avons fêté nos trente-deux ans de mariage.

Une longue route aussi bien pour elle que pour moi. Depuis deux ans maintenant, mon taux d'urée ne descend plus en dessous de 2!

CHAPITRE 6

DÉPART

Nous sommes au mois d'août 1966, et je demande à ma cadette de nous rejoindre avec les siens. Je veux revoir toute la famille au complet avant mon départ. Peut-être le dernier... Ni le médecin, ni moi, ne pouvons plus rien pour ma vieille carcasse. Elle grince de partout et je lutte de plus en plus pour ne pas devenir trop aigri.

Je suis un volcan en constante éruption.

Demain je pars pour Berne où se trouvent les appareils nécessaires aux dialyses. Mon restant de rein refuse tout service. Une fois de plus, Mina est pleine d'espoirs. Mais je sais que j'approche de l'issue fatale. Cette fois je le leur dis, mais personne ne me prend au sérieux. J'aimerais qu'ils comprennent qu'il n'y a plus de temps à perdre, si quelque chose doit encore être dit. Je veux encore rencontrer mon ami l'architecte, car depuis deux ans un projet est lancé que je voudrais voir aboutir avant. Nous voulons créer un centre de rééducation de travail pour les handicapés. L'Etat et différentes associations sont disposés à nous épauler. Hier, j'ai donné ma démission comme secrétaire des brancardiers. Pour la troisième fois, mes amis voulaient la refuser. Alors, je leur ai parlé:

— Il faut que vous sachiez. Cette fois ce n'est plus seulement une question de fatigue ou de santé, cela devient une question de temps, parce que je suis au bout de la route et que je vais vous quitter vraiment. Mais je vous le demande, continuez ce qui est ébauché, pour tous ceux qui restent.

Tout le monde s'est tu et mon cœur s'est serré en regardant tous ces visages amis effondrés par mes adieux.

Une réponse importante de l'Etat devrait encore arriver avant mon départ.

Cette journée en famille, cette dernière journée est belle mais poignante.

Tout le monde parle et agit un peu artificiellement, comme dans un jeu que l'on veut faire durer. Je crois que les miens ont aussi réalisé que mon départ approche. Mina a pris une remplaçante pour l'école et m'accompagne à Berne.

Dès mon arrivée, les soins intensifs commencent. Tous les jours, la dialyse me redonne un peu de vie. Passablement affaibli, je souffre moins pourtant. De 2,3, mon urée redescend à 1,7. Mina, jour après jour, est près de moi. De nouveau, sa tendresse me réconforte. Je lis tant de lassitude sur son visage, sillonné de rides. Malgré cela, elle est toujours aussi belle, aussi émouvante.

Je reste deux mois et demi au rein artificiel et je vois bien que l'on ne peut plus grand-chose pour moi. Les jours passent. Je règle encore les derniers cas, les dernières choses en suspens.

Le taux d'urée semble se stabiliser et l'on m'autorise à rentrer.

— Si quelque chose n'allait pas, revenez vite en hélicoptère. En une heure vous seriez sur place.

Nous repartons et ce départ est angoissant. Mina cependant, est à nouveau gonflée d'espoir:

— Tu vois chéri, ta peine est remise. C'est un

nouveau et long sursis qui t'est accordé! J'en suis certaine.

— Ne te fais plus d'illusions ma chérie, c'est bientôt fini.

Je suis épuisé par le voyage et durant toute la semaine, je ressens une angoisse croissante. Je ne la laisse pas immédiatement paraître, mais Mina l'a sentie aussi. Cette semaine est parsemée de silences, de tendresse, de mains qui se cherchent, de tristesse impuissante, de regards éperdus. Désormais chaque seconde vaut son pesant d'or. Les enfants de Zurich sont là, les autres passent souvent, mais je suis très vite fatigué.

Le dimanche matin, Ariane reste près de moi, tandis que les autres vont à la messe.

Alors, j'ai à nouveau cette impression de mains qui m'agrippent le cœur. Je ne puis plus trouver mon souffle. Un bruit rauque monte de mes poumons, l'eau m'étouffe. Je gesticule désespérément et m'accroche de toutes mes forces à Ariane.

Depuis ce moment-là, tout se brouille épisodiquement. La crise dure trop, bientôt je serai inconscient.

Quand je rouvre les yeux, ma fille me tamponne le visage, elle est affolée.

Je lui demande de ne rien dire à sa mère. Elle promet. Entre nous désormais peu de mots ; tout filtre par les regards.

Dans la soirée, je suis violemment repris par une crise d'angine de poitrine. L'angoisse prend alors le pas sur tout le reste. Je ne peux plus rien cacher.

— Mais tu deviens gris, Marcel, que se passe-t-il ?

Je ne puis plus parler. Je cherche à reprendre mon souffle, comme un noyé. Je mets dans mon regard tout le désarroi intérieur qui m'habite et je serre la main de

Mina. Alors, les gargouillis des poumons montent un peu plus haut et je retombe en arrière à demi-inconscient.

J'entends Mina appeler le médecin. Dix minutes plus tard il est là.

Il parle de retourner à Berne, d'appeler un hélicoptère. Je refuse.

— Non, docteur, je n'irai pas à Berne. Je sais que c'est inutile, c'est la fin. Je veux mourir ici, dans mon pays. Si vraiment on ne peut plus faire autrement, j'accepte d'aller à l'hôpital ici. Rien de plus.

L'ambulance s'ébranle et je regarde intensément cette maison que je quitte. Cette maison et ce jardin où j'ai été si heureux. En ce moment, des racines tordues et profondes s'extirpent de moi. Les larmes jaillissent de mes yeux. Mina, toujours présente, me tient la main. Je dis adieu à ce quartier, à cette ville. Sur le chemin de l'hôpital j'aperçois par la fenêtre, les amandiers squelettiques sous la bise de novembre.

J'entre dans l'hiver, dans mon hiver.

La nuit prend possession du paysage, de l'angoisse.

La fin est toujours le commencement d'autre chose.

Paix retrouvée dans le silence conquérant de l'infinitude!

TROISIÈME PARTIE

Le passé présent

Les aubes
douces-amères des tiens

Huit ans, déjà ont passé entre le départ de mon père et le moment où j'ai ressenti un impérieux besoin de mettre sur papier, le témoignage qu'il m'avait transmis, petit à petit. Au travers de nos moments d'intimité, de communication, il lui arrivait de se livrer, par bribes.

Je reconstituais ainsi le puzzle de sa vie, depuis sa petite enfance.

Le but de ce récit n'est pas de juger, ni d'apporter des certitudes. J'essaie de comprendre moi-même le pourquoi de bien des situations. Je n'ai pas cherché non plus à faire de la littérature, mais à exprimer le plus objectivement possible, avec des mots simples, ce que fut mon père, ou du moins tel que je l'ai ressenti.

J'ai laissé parler ce qui était au fond de moi, j'ai extirpé des racines tordues et profondes et pour ce faire, j'ai eu parfois très mal.

Papa a toujours voulu la « vérité-vraie »...

Nos racines où sont-elles ? Jusqu'où faut-il creuser dans la glaise de notre mémoire pour connaître l'origine de notre source ?

Très honnêtement, je vais tenter de découvrir un maximum de données sur tout ce passé qui apparaît pour l'instant comme une jungle indéfrichable.

Pourtant nous l'avons vécu, chacun à notre manière ce passé à l'intérieur de notre cellule familiale.

En fouillant, je parviens à remonter presque jusqu'à ton retour à la maison. Ou est-ce la photo un peu jaunie qui te montre jouant avec moi, qui attise ma mémoire ? Je ne sais.

J'avais un peu plus de deux ans, et je commençais à prendre conscience de la grande maison où nous habitions. Plusieurs chambres correspondaient entre elles par une porte centrale. Quel terrain de jeu inespéré pour les jours de pluie ! Nous ouvrions toutes grandes les portes de chaque chambre et courions, prenant les contours à la corde, essayant de nous attraper. Le parquet brillant grinçait sous nos assauts, même, quelquefois, il tremblait.

Un jour, brusquement, maman nous demanda d'être plus silencieux. Elle nous interdit de courir au premier étage et de crier. Toi, papa, dans ton grand lit, tu souffrais au rez-de-chaussée, il fallait désormais y penser. Si petite, je devais être celle qui y songeait le moins ! Après de longs mois sans vous, nos parents, voilà que tu étais là tout le jour. Je pouvais me hisser sur le bord de ton lit à tout moment pour quémander des caresses ou des histoires.

Souvent on me renvoyait et j'avais du mal à en comprendre les raisons. Je me souviens de conversations feutrées, de chuchotements, de va-et-vient de médecins et d'amis. Après quelque temps, ta voix prit le dessus de bien des situations et cela me rassurait inconsciemment.

Pour nous, tout était préférable à ton absence. Peut-être mesurions-nous déjà que nous risquions de te perdre. Que le temps nous était compté. Alors nous acceptions sans discuter tes réprimandes, ta mauvaise humeur, tes coups, puisque ta tendresse enrobée de puissance dominait tout.

Toute petite, j'avais conscience de tes points faibles. Raison qui me poussa souvent à me mesurer à toi, pour tenter de déterminer qui de ma roublardise ou de ton autorité gagnerait?

Lorsque tu décidais de sévir en raison d'une quelconque mauvaise conduite, nous devions baisser nos culottes et grimper sur ton lit, nous mettre à plat ventre sur toi — car au début tu ne pouvais que très peu t'asseoir — et là commençait un cérémonial qui nous emplissait de terreur. Tu décrochais la poignée de ton lit d'hôpital, tu enlevais posément l'extrémité en fer, tu rabattais le bout de cuir et tu nous donnais la fessée, plus ou moins fort, selon le degré de nos délits.

Jamais aucun de nous trois ne s'est soustrait à tes corrections. Le fait était acquis une fois pour toutes. Tu détenais la puissance et l'autorité et il ne nous serait pas venu à l'idée de refuser.

Je devais avoir quatre ans lors d'une de ces séances, tu étais très fâché et tapais sur ma fesse droite. Fière je ne pleurais pas et te regardant, je te dis d'une petite voix:

— Dis, papa, change de bosse, celle-là commence à faire mal!

Tu en a eu ton élan coupé, tu m'as posée par terre et:

— File dans ta chambre, sale gamine!

En sortant je t'ai vu mettre ta figure dans tes mains et éclater de rire. J'avais gagné un de nos innombrables combats.

Nos caractères si semblables, allaient encore se heurter souvent.

Je savais exploiter chaque petit moment de solitude à deux, et là je découvrais le papa-tendresse, le papa-câlin. Tes dons de conteurs m'émerveillaient. Je restais

177

bouche ouverte, attendant le dénouement de tes histoires fantastiques, parfois je tremblais de peur. Ou alors tu me gardais tout contre toi et tu me caressais durant de longs moments et je comprenais à tes longs soupirs que tu souffrais en silence.

Maman, toujours efficace et présente en dehors de ses heures d'enseignement ne restait jamais inactive. Après ses corrections, soit elle partait faire des achats de son pas décidé, soit elle s'affairait au jardin jusqu'à la tombée de la nuit dans les plates-bandes regorgeant de légumes. Jamais de quoi chômer pour elle, puisque chaque saison amenait sa cargaison de produits.

Quand elle rentrait, c'était pour donner à la jeune fille des instructions pour le repas, lui apprendre, lui montrer maintes fois. Puis nous dressions la tradition- nelle table pliante qui nous permettait de manger tous à côté de ton lit. L'heure des nouvelles données à la radio était sacro-sainte, d'autant plus que nous traversions encore cette période de guerre. Aucun bruit ne devait troubler cette voix.

Le soir, une fois la table débarrassée, maman s'installait sur le canapé près de toi et prenait un ouvrage, du tricot, ou de la broderie, et souvent je venais me glisser entre le mur et elle et mettant ma tête sur ses genoux, je cherchais sa tendresse. Pour ne pas trop la déranger dans son travail, je finissais par poser ma tête dans le creux de ses jambes, près de son ventre et à ma façon je ronronnais. Ce qui me valut longtemps le surnom de « petit chat ».

Mes frère et sœur avaient dépassé ce stade d'insou- ciance dans lequel je me réfugiais. Pour eux, l'école devenait une chose sérieuse et parfois dramatique, au moment de la récitation auprès de papa.

La religion tenait une place primordiale dans notre

éducation. Un enseignement qui devait par la suite être renforcé par nos éducateurs et éducatrices, des religieux. Existaient des sujets tout à fait inaccessibles dans nos conversations familiales ou scolaires. A croire que la pureté, par-dessus tout, régissait toutes nos actions, toutes nos pensées futures. Traumatisme involontaire que nous infligeait une morale religieuse terrifiante. Dieu devenait la menace à barbe blanche, guettant le moindre de nos faux pas pour mieux nous épingler, jusque dans nos pensées les plus secrètes. Mais pour nous, la meilleure preuve de sa crédibilité infaillible n'était-elle pas cette humble soumission que nous ressentions de la part de notre père à son endroit. Jamais nous n'avons perçu la moindre révolte, la moindre remise en question. Nous avons même acquis à un certain moment, la conviction que l'accident dont il avait été victime, était à la limite de la bénédiction et des voies insondables du Seigneur.

Vint pour moi aussi le temps de l'école. J'avais plus que les autres été à l'abri dans le cocon familial et il fallut me faire à l'agressivité, aux brimades des copains. Ma naïveté en prit un bon coup, et je n'acceptais la réalité que par force.

Comme je rentrais régulièrement à la maison, dix minutes après en être partie, généralement en larmes, mon père décida de m'aguerrir, sans y croire.

— La prochaine fois que des grands garçons te traiteront de «mollets de vieux Suisse», tu les regardes bien, tu vas vers le plus grand et tu vises son nez. Tu tapes, tu tapes jusqu'à ce qu'il saigne. Tu verras qu'ensuite, tu auras la paix!

Il se replongea dans son journal et je sortis, sûre de moi. Je revins dix minutes plus tard, triomphante cette fois:

— Papa, j'ai fait comme tu m'as dit, j'ai dû taper au moins six fois, mais après il saignait et pleurait, tu avais raison !

De ce jour, je pris un peu plus d'assurance et on me respecta.

À l'école enfantine déjà, j'avais six ans, on nous inculquait le fameux principe de la pureté. Le conditionnement d'esprit était tel, que quelques années plus tard, j'en arrivais à craindre de me rendre aux toilettes pour mes besoins. En m'essuyant, je commettais ce péché d'impureté tant réprimé, je ne pourrais bientôt plus m'approcher de la table de communion. Cruel cas de conscience pour un enfant. Cette sainte peur était commune à tous ceux de mon âge.

Si seulement nos parents avaient compris qu'ils auraient pu apaiser nos scrupules en étant naturels avec nous. Exigences excessives compte tenu de leur propre éducation. Nous étions trop jeunes pour le comprendre. Il nous faudra des années pour établir un juste rapport entre les concepts religieux et nous-mêmes, pour redonner à Dieu sa vraie place, non de justicier mais de consolateur. Dès ma plus tendre enfance, j'essayais pourtant de réduire ce faux sentiment de culpabilité face aux choses de la vie.

Toi, père, tu n'y pouvais rien si le hasard (mais est-ce bien le hasard ?) t'avait privé de beaucoup de fonctions. Je fus toujours bouleversée par la tendresse que mettait maman à te soigner, sans comprendre, durant des années, que la semaine comportait pour vous, deux journées pénibles. Ces jours où, se substituant à la nature, les médicaments te permettaient de te libérer. Nous assistions aux courses de maman entre l'école et la maison, située en face, à intervalles réguliers, pour changer ton vase et souvent ton lit. Ces jours où flottait dans l'air une odeur de défécation qui te rendait agressif. Les portes souvent fermées à clef, les vaporisations « d'air fresh ». Tant que je ne compris pas, je cherchais à savoir et je restais dans le corridor que maman devait traverser avec l'objet secret entouré d'un linge. L'odeur m'intriguait et je me demandais comment, pourquoi, que faisait maman ?

Très impulsive, il m'est arrivé, voulant demander quelque chose, d'entrer de façon imprévue, sans y penser, et de trouver maman en pleins soins. Son air horrifié me retournait et je ressortais. Parfois je t'ai vu découvert et ton anatomie m'avait frappée. Bien sûr, je ne pouvais pas en parler, cela aussi fut un sujet de tourment. Tout aurait pu être si simple !

Je devais être une bien mauvaise enfant pour avoir regardé ces choses défendues et y penser.

Un souvenir de frayeur, mais physique celle-là, me tenaille encore. Ce fut en 1946 l'année des tremblements de terre. Ces deux nuits où nous étions réveillés par le grondement sourd de la terre, ces vibrations incontrôlables qui nous tordaient le ventre. J'entends encore nos cris, je revois maman nous aidant à nous vêtir très vite, les courses dans l'escalier, et surtout ce sentiment d'impuissance quand nous avons réalisé que nous ne pourrions pas te sortir et que tu étais en danger. Tu criais, tu grondais pour que nous rejoignions le fond du jardin. Maman nous y entraînait et revenait vers toi. Nous nous serrions l'un contre l'autre, retenant notre souffle et nous pleurions, attendant le retour de maman. Quelle panique nous avons ressentie...

Une chose m'a toujours révoltée, c'est l'injustice. Tu étais parfois si sévère avec mon frère, beaucoup plus qu'avec nous et je le trouvais si sage ! Un été, au chalet, tu le grondais à en perdre haleine. Le sujet de ton courroux ne m'est pas resté en mémoire, mais l'injustice oui. La punition était disproportionnée par rapport au délit. Mon frère fut enfermé dans le cagibi à provisions sur ton ordre. Maman avait les larmes aux yeux, mais sous aucun prétexte elle n'aurait osé enfreindre ta volonté. Je vins vers toi et commençai le siège.

— Dis, papa, j'ai été sage, moi?

— Mais je le sais.

— Alors tu m'accordes une récompense? Toute petite... Dis oui!

— Que veux-tu?

— Laisse-moi aller à la place de François, si tu veux vraiment pas lever la punition. Je te promets, il a pas fait ça pour être méchant, laisse-le sortir, laisse-moi aller.

Je voulais absolument sortir mon frère de là, bien que l'idée d'être enfermée dans le noir me terrorisa. Il y avait injustice et je voulais réparer à tout prix.

— Rien à faire! Il n'en est pas question!

Alors je mis mes petits bras autour de ton cou et je pleurai en silence, des grosses larmes qui te mouillaient. Tu laissas passer un moment et tout à coup tu me dis:

— Va délivrer ton sacripan de frère, dépêche-toi.

Je sautai de joie, j'avais gagné! Une petite victoire arrachée à ton autorité, mais qui me prouvait en même temps que tu étais tendre, au fond.

J'étais aux anges quand je vous surprenais, maman et toi, enlacés tendrement, elle assise à côté de toi sur ton lit, la tête abandonnée sur ton épaule, et toi, les yeux dans le vague, lui caressant les cheveux, le visage. Je retenais mon souffle et repartais sur la pointe des pieds.

Que n'aurais-je donné pour que vos moments ne s'interrompent pas! Vous étiez des « papa-maman » comme tous les « papa-maman » du monde.

Le fait que tu ne puisses quitter ton lit ne m'intriguait pas outre mesure. Les seuls instants où je me demandais pourquoi — instants furtifs — c'était à la sortie de l'école, quand d'autres papas venaient chercher leurs enfants le vendredi ou le samedi. Effleurement d'un regret... « C'est dommage que mon papa ne puisse pas marcher, sinon il viendrait », disais-je à mes camarades.

Quand l'époque des notes scolaires commença, je connus aussi les affres de ton courroux. Aucun écart n'était toléré en ce qui concernait la bonne conduite, la propreté des cahiers et la discipline. Dans ces cas-là, tu étais intransigeant et très sévère. Il nous était impossible en fin de semaine, de soustraire notre livret de notes jusqu'au dernier moment le lundi matin, comme le faisaient certains camarades. Sitôt la porte franchie, tu nous appelais et tu tendais la main, nous regardant droit dans les yeux. La mort dans l'âme nous te le tendions, attendant ton verdict, anxieux.

Quand tu soupirais profondément en levant les yeux au ciel en lâchant un « Ouais! bon! Ça peut aller mais tu peux encore faire mieux! », ma gorge se dénouait lentement et je sautais sur ton lit. Quand par contre, tu ne disais rien, faisant ton œil noir et que, d'un petit geste du bout du doigt, tu nous faisais signe de baisser notre culotte, nous aurions voulu que le sol s'ouvrît sous nos pieds et disparaître.

L'hiver était long pour toi. De ta fenêtre, tu nous regardais les jours de neige, nous défouler dans le jardin ou la cour de l'école. Quand je rentrais, j'aimais venir réchauffer mes petites mains dans ton cou ou sous ta veste de pyjama. Toi tu faisais semblant de pleurer et tu te cachais sous tes draps. Moments privilégiés que cette complicité dans nos jeux! Je les appréciais d'autant plus, qu'ils me faisaient oublier tes grandes colères, que je ne comprenais pas toujours. Vous aviez un principe, maman et toi, vous ne parliez jamais de problèmes d'argent devant nous. Cela ne nous empêchait pas de les deviner, quand à la fin du mois, maman préparait les bulletins verts pour la poste, assise à son bureau. Souvent le ton montait. Tu nous renvoyais dans nos chambres, mais ta voix arrivait jusqu'à nous. Tu venais de faire construire le chalet et prélevais pour cela des montants importants sur la paie de maman. Vos discussions finissaient invariablement par «Débrouille-toi avec ce qu'il reste!».

Et souvent nous voyions ressortir maman les yeux rougis. Les après-midi de congés, dès le printemps revenu, il fallait aider maman dans les travaux de jardin et cela ne nous enchantait guère. Nous tentions par tous les moyens de nous y soustraire, ne pensant pas une minute qu'elle se serait bien passée de ce surcroît de travail. Simplement, cela était nécessaire pour la survie du ménage et des finances, mais nous affichions la plus parfaite insouciance.

Les étés au chalet nous enchantaient. Nous montions avec toute une ménagerie, une fois installés, nous prenions joyeusement possession des forêts et des prés environnants.

Durant ces vacances en montagne, tu avais aussi une passion à laquelle tu nous initias très tôt. Tu possédais un superbe «flobert», sorte de fusil, tu accrochais une cible sur une planche et nous allions la fixer contre le mur au pied de la forêt.

Puis tu nous donnais tes leçons. Maman se débrouillait fort bien, puisqu'elle remporta le trophée féminin dans un concours. Mais tes plaisanteries nous glaçaient d'effroi, il faut bien l'avouer.

Les chèvres de ta sœur étaient irrésistiblement attirées par les superbes géraniums que maman entretenait avec amour, dans des troncs d'arbres creusés en forme de bacs.

Chaque jour de beau temps, nous poussions ton lit à l'extérieur du chalet. De ta place d'observation, tu régentais tout ton monde.

Souvent tu te fâchais contre les maudites chèvres indifférentes à tes cris. Tu fis de nombreux téléphones à ta sœur lui demandant de mieux les parquer, de façon plus efficace, sans quoi, tu sévirais.

Un jour tu sortis ton «flobert» et tiras en l'air pour les effrayer.

— Je vais les descendre ces sales bêtes!

Ce qui nous angoissait car nous les aimions bien. Entendant les coups de feu jusqu'au village, Léonie s'affolait et envoyait ses fils à la rescousse:

— Courez, dépêchez-vous! Oncle Marcel est en train de tuer nos chèvres!

Ce qui te faisait beaucoup rire.

Et vos deux caractères s'affrontaient au téléphone, ta sœur te détestant dans l'instant et toi lui promettant encore plein de misères si les bêtes revenaient.

La docilité n'était pas votre fort ni à l'un, ni à l'autre.

Tu étais souvent pris d'une envie d'évasion et nous partions des jours entiers en voiture. Maman conduisait parfaitement. Mais au fil des heures, ton impatience montait. Nous comprenions, déjà à cette époque, que le fait de ne pouvoir conduire te crispait et te rendait parfois injuste envers maman.

185

— Accélère! Freine! Devance! Klaxonne! Débraie!
Quelle lassitude se lisait au retour de ces promenades, sur son visage, mais elle ne bronchait pas!

Trois fois par semaine venait un physiothérapeute, pour empêcher tes membres inférieurs de trop s'atrophier. Ses séances de massages laissaient flotter dans l'air une odeur de pommade camphrée que j'affectionnais. Dans ma petite tête, je pensais qu'à force d'exercices, tu finirais par retrouver l'usage de tes jambes et je guettais souvent ce moment. De même, lorsque tu te rendais chaque mois de mai en pèlerinage à Lourdes, j'espérais, je croyais qu'une fois tu redescendrais de ce train sur tes pieds.

Cette foi que l'on nous inculquait à longueur de jours, cette foi qui était sensée déplacer des montagnes. Enfants nous ne comprenions pas l'image et attendions des signes concrets et tangibles de ces miracles, qui existaient nous assurait-on.

Combien grande était ma surprise quand tu me disais que tu ne te rendais pas à Lourdes pour guérir, mais pour faire une provision de force pour l'année à venir, pour recharger tes batteries. Moi qui courais à la messe et à la communion chaque matin très tôt durant vos pèlerinages. Certaine que je serais entendue, je priais avec une ardeur incroyable, j'attendais que mes genoux me fassent très mal avant de me relever, puisque dans la ligne de notre instruction religieuse, il fallait même s'infliger des douleurs physiques pour donner plus de poids à nos prières. Avec quelle anxiété, quelle curiosité aussi je lisais les journaux durant vos absences, pensant trouver le récit d'un miracle, de ton miracle. Avec quel espoir je me rendais à la gare, sur le quai de votre retour, avec quel pincement de cœur, je te voyais sortir du train, ficelé à ton brancard, soutenu par deux amis. Je me révoltais chaque fois un peu plus.

C'est au retour d'un de ces voyages que tu décidas de t'occuper d'autres handicapés, moins favorisés que toi. Alors commença à la maison ces étranges défilés de boiteux, d'infirmes, réclamant ton aide.

Je sais maintenant que ces périodes de grand travail t'infligeaient une fatigue énorme et des douleurs en conséquence. Certains jours, tu n'étais pas à prendre avec des pincettes, et la moindre contrariété te mettait hors de toi. Maman voyait parfois ses journées de travail s'allonger à l'infini, car elle participait activement à tes affaires. Tu nous donnais souvent le sentiment que rien n'allait assez vite pour toi. Tu commandais quelque chose et tu aurais voulu que tout soit exécuté dans la minute qui suivait.

Vers ma dixième année commencèrent les périodes de voyages durant l'été.

Le camping était sans aucun doute la façon la plus pratique et la plus économique pour nous.

Foule de souvenirs, d'images, de flashes plus ou moins tenaces. Tu nous faisais découvrir les choses dans un tourbillon incessant. L'Océan, les châteaux de la Loire, les moulins de Hollande, Bruges et ses calèches, Venise merveilleuse mais nauséabonde en été, l'Autriche et son passé, le Rheintal, l'Espagne et les corridas qui nous épouvantaient, la Côte d'Azur...

Le premier engouement passé, ces itinéraires étaient épuisants. Non que je regrette quelque chose, mais je dois avouer qu'à l'époque tu nous soumettais à un régime de vitesse peu habituel. Etant la plus jeune, les premières années surtout, je parvenais souvent à tirer au flanc, au grand désespoir de mes frère et sœur. Mais ensuite, j'appris comme les autres à monter la tente

187

double en un temps record, à installer le coin cuisine, à gonfler les matelas pneumatiques. Quand nous effectuions des parcours-visites, nous levions le camp tous les matins à quatre heures et demie et devions démarrer à cinq heures et quart au plus tard. Telle était ta volonté. Maman et François t'installaient dans la voiture en te portant et tu donnais tes instructions.

Il fallait être silencieux pour ne pas réveiller les voisins quand nous étions dans un camp. Le plus souvent, tu préférais les coins isolés et sauvages. Malgré l'obligation où tu te trouvais de te contenir, tu parvenais à nous gronder à voix basse, quand le chargement sur le toit ne correspondait pas exactement au carré prévu ou que la bâche bâillait quelque peu... Quand la dernière portière claquait, nous savions que l'orage éclatait... nous attendions qu'il passe! Au bout de quelques minutes, tu te calmais et nous tentions de nous rendormir un moment tandis que maman conduisait.

Quelques étapes me sont restées en mémoire plus fortement que les autres.

Un de nos premiers voyages qui nous avait poussé jusqu'à Toulouse, nous vit échouer dans une superbe propriété des environs, dans un village prédestinément appelé «Noë». Tu avais décrété que le château et son parc avaient fort belle allure et que nous camperions là!... Quand tu voulais une chose, rarement elle te résistait! Le châtelain te prit sous son aile et sympathisa immédiatement.

De lourds nuages traînaient à l'horizon lorsque nous terminions notre installation. Le maître nous apporta des fruits et des légumes de chez lui et nous dit avec son accent savoureux:

— Vous feriez mieux de venir vous installer au

château pour cette nuit, cela va être sérieux, vous serez inondés!

— Mais non, notre matériel est solide, ne vous inquiétez pas.

— Vous êtes intrépides, les petits Suisses!

Durant toute la nuit les éclairs se succédèrent à un rythme discontinu. Le ciel semblait se tordre dans tous les sens. La clarté permettait même de lire le journal. Par la fente des fermetures éclairs, nous regardions nos casseroles dériver sur un véritable ruisseau tourbillonnant. Nous nous bouchions les oreilles tellement le fracas du tonnerre nous ébranlait. Notre tente était une véritable Arche de Noé, mais elle tint bon. Pas une goutte ne la traversa.

Au petit matin, le châtelain vint vers nous, clopinant sous son parapluie:

— Les « pôvres », vous savez nager au moins! Dieu sait dans quel état vous êtes!

— Mais non, tout va bien, regardez vous-même, pas une goutte!

— C'est pas croyable! Savez-vous qu'au château, nous avons passé la nuit à courir d'un coin à l'autre avec des seaux, tant il y avait de gouttières. Je vais m'acheter une tente comme la vôtre et la dresser dans ma chambre!

Nous avons eu mille peines à repartir après trois jours.

L'épisode du cap de la Hague ne fut pas banal. Une tempête sévissait depuis plusieurs jours. Aucun bateau de pêcheur ne quittait la Côte. Il fallait pourtant que le soir même nous dormions quelque part.

Tu décidas que nous planterions la tente à l'extrême pointe du Cap. Le vent semblait se calmer un peu. Il fallait cependant sortir le grand jeu, et pour la première fois nous avons arrimé la tente comme jamais. Des cordes passaient dans tous les sens sur la toile et étaient tendues par des « sardines » plantées profondément en terre. Arrimage difficile puisque le sol était un pic rocheux, à peine recouvert d'herbes.

A vrai dire, aucun de nous ne jubilait à l'idée de bivouaquer à cet endroit, où la falaise surplombait la mer d'une bonne centaine de mètres. Mais quand tu avais décidé quelque chose nous savions nos discussions inutiles. Nous eûmes mille peines à maintenir le réchaud allumé, bien qu'à l'abri, tant les tourbillons de vent nous enveloppaient.

Cette nuit-là, nous n'avons pas fermé l'œil. Les pieux d'aluminium pliaient, la toile se tordait et nous, nous espérions que notre abri tiendrait jusqu'au matin. J'ai même eu l'impression que tu t'en voulais de cette intrépidité !

Au matin, une voiture de la gendarmerie s'arrêta. Nous mangions nos tartines, blottis dans le haut-vent.

— Vous êtes fous ou quoi ? Vous n'allez pas vous installer dans un endroit pareil, exposé comme ça, vous ne tiendriez pas une nuit, vous seriez emportés ! Ah, ces Suisses !

— Mais nous y avons déjà dormi cette nuit ! Pas très bien, je vous l'accorde, mais tout a tenu... regardez ! Nous repartons dans un moment. Avouez tout de même que l'endroit est superbe, je ne regrette pas !

— Vous êtes dingues ! Avez-vous jeté un coup d'œil au bas de la falaise ?

— Mais bien sûr. C'est unique !

— Allez, bonne chance pour la suite, mais trouvez des endroits plus sûrs !

J'imagine la patience qu'il te fallait (je n'y songeais

pas à ce moment-là) lorsque nous visitions les châteaux de la Loire ou d'autres monuments ou cathédrales. Tu étais cloué dans la voiture, tributaire des autres pour le moindre de tes désirs. Supportant la chaleur étouffante pour nous donner le temps de nous enrichir. Sans en être vraiment conscients, nous devions le sentir puisque tes mouvements d'humeur ne nous perturbaient pas outre mesure.

Celle qui prenait tant de choses sur elle, pour t'apaiser, qui te souriait si souvent, qui te prodiguait sa tendresse après des journées harassantes, se faisait presque oublier. Maman si efficace, si présente, si forte et si douce, sans qui rien de tout cela n'aurait été possible.

Maman ta sœur, ton infirmière, ta femme, ta maîtresse-vierge, ton second toi-même à qui tu faisais faire tout ce que tu ne pouvais plus faire.

Maman-femme si belle, si travailleuse, si émouvante, avec qui tu fus trop souvent injustement cruel. Maman-patience, maman-tristesse parfois, maman-bonheur toujours, qui aurait eu cent fois l'occasion, ou l'envie peut-être, de faire sa valise devant la cruauté de la vie. Maman-sécurité, maman-notre-ancre, qui resta au port malgré tant de tempêtes, en se blessant les flancs et le cœur contre les rochers du rivage.

Tu étais ces rochers. Il le fallait bien pour tenir. Tu étais devenu comme le granit des montagnes qui défient le temps. Aucune trace de rancune, même si la révolte menaça bien des fois, prête à jaillir de nous. Si tu aimais tant les voyages, c'est que tu te sentais moins prisonnier dans la voiture que dans ton lit. Tu te sentais davantage le maître. Depuis ton siège tu trompais un peu le monde, petite revanche bien légitime. Les autres t'infligeaient des blessures sournoises. J'entends encore

191

l'altercation qui eut lieu à la frontière. Un douanier suisse-allemand ouvrit ta portière et t'ordonna de descendre.

— Oh! comme je voudrais vous obéir. Vous avez lu mon passeport?

— Sortez, foutez-vous pas de moi, ça vous coûtera cher!

— Ça risque de vous coûter encore plus cher, lisez mon passeport!

— Je vous sortirai de force!

— Si vous me touchez, je cogne!

Le chef sortit de sa guérite et demanda des explications. Il prit le document, lut et s'inclina en s'excusant. Il referma la portière. On ne revit jamais le jeune douanier à cette frontière.

Tu as toujours aimé le risque. Tu nous y entraînais peut-être pour nous aguerrir.

Noirmoutier et la traversée vertigineuse du gué!

Maman secouée de sanglots à son volant. Dans ces moments-là, quand ton orgueil prenait le pas sur le raisonnable, nous t'en voulions. Etre les spectateurs impuissants de ton inconscience nous enrageait! Quand nous sentions maman à bout de nerfs, pleurant en silence, que nous assistions à tes cris, à tes colères, souvent pour des prétextes futiles, il nous prenait des envies de fuite. Cet être dur et implacable ne pouvait être toi!

Si tu avais pu mesurer parfois la portée de tes injustices et les conséquences possibles pour l'avenir!

Dans les instants où nous te sentions plus disponible, nous aurions voulu parler avec toi, approfondir nos questions, nos doutes. La plupart du temps nous y renoncions, sachant notre cause perdue d'avance. Si nous nous taisions c'était par gain de paix.

Les mois, les années défilaient, t'apportant leur comptant de problèmes et de souffrances. De nouvelles périodes d'hôpital où tu disputais de dangereuses batailles avec la maladie.

Ton énergie, ta volonté, ta faculté de résistance devant la douleur, nous laissaient songeurs et admiratifs.

Nous effacions immédiatement tous nos griefs contre toi. Tu ne les méritais plus.

Un soir par semaine, vous jouiez au bridge avec deux amis. Ces parties étaient toujours fort animées et tu ne ménageais pas les insultes à l'un de tes adversaires aussi bouillant que toi et d'un parti politique à l'opposé de tes convictions. Nous nous endormions fort tard, car ta voix résonnait dans la maison. « Bouc historique », « Cochon de radical », « Espèce de bouffe-curés »...

L'autre n'avait pas sa langue dans sa poche et ripostait aussi vigoureusement. De véritables duels de langage, des petites guerres, desquels vous ressortiez les uns et les autres complètement épuisés, mais finalement très amis. J'ai toujours été impressionnée par ces disputes d'adultes qui semblent prendre des proportions terribles et qui ne sont que des jeux d'affrontement.

Pour une raison qui m'échappe encore aujourd'hui, tu te mesuras même avec un prêtre, curé de notre paroisse. La brouille fut si importante, qu'il refusa de t'apporter la communion à la maison, et interdit à ses vicaires de le faire. Monseigneur s'en mêla et trouva un compromis en t'envoyant le vicaire d'une autre paroisse. Cette salade ecclésiastique n'était pas belle et toute la famille se rendit à la messe dans l'autre paroisse.

Tu n'aimais pas lorsque quelqu'un te traitait d'infirme!

Tu nous appris le sens du mot «handicapé» et tu avais raison. Tu refusais la résignation et c'est sûrement ce qui te permit de lutter sans discontinuer. Mais en te battant sans cesse contre la maladie, contre la médecine, contre toi-même, tu devenais de plus en plus intransigeant envers nous. En as-tu pris conscience? Par moments, tu devenais si doux, si modeste, tu n'étais plus le même. C'était des plages de calme dans le tourbillon des jours. Mais cela ne durait jamais. Je pense que tu assimilais la douceur à la faiblesse, ce qui t'empêchait parfois de répondre selon ton cœur.

Je sais qu'il n'y avait aucune trace de méchanceté de ta part. Simplement, la vie t'a réservé une telle somme d'épreuves, ton enfance fut rude et sans indulgence, il était normal pour toi de nous en faire payer une petite partie. L'avenir se mérite et se paie, disais-tu. Si vraiment le bonheur futur est à la mesure des peines passées, alors maman a gagné cent fois le droit à un troisième âge paisible!

Sautant à travers le temps, je me retrouve à l'époque de mes quinze ans.

Tu sentais quelque chose t'échapper et tu ne l'acceptais pas. Tu refusais tout simplement d'envisager qu'il est normal de voir ses enfants faire comme tout le monde et voler de leurs propres ailes. Si tu n'avais pas mis tant d'obstacles à nos élans, tant d'ardeur à vouloir t'imposer, aurions-nous été si loin sur les chemins de nos défis?

Je comprenais par exemple que si l'aînée voulait s'en aller, c'était avant tout pour se défaire de ta tutelle et de ton autorité. Elle voulait prouver quelque chose, mais que peut-on prouver à vingt ans? Tu nous laissais si peu de choix.

La seule issue était le mariage.

Cela ne signifiait pas pour autant que le cordon ombilical était sectionné! Loin de là! Nous ne fonctionnerons tous, jusqu'à ton départ, que par la puissance de ta volonté. On peut décider de bien des choses, mais le bonheur ne s'achète pas. Il faut le trouver seul.

Entre François et toi, une sorte de dualité existait. Tous deux, vous cherchiez un contact d'hommes qui ne se produisit jamais, si ce n'est au travers de brutales discussions qui vous laissaient blessés, insatisfaits.

Comme si vous vous passiez sans cesse à côté. Quand il connaissait des moments de plus grande communication, tu le prenais à « rebrousse-poils » et il se refermait dans sa coquille. Tu t'étais fait une image de chacun de nous et celle-ci ne correspondait pas à ta conception. La glaise de notre enfance et de notre adolescence était devenue terre cuite. Nous n'étions plus maléables et cela t'agaçait.

Maman connut des heures difficiles. Rentrant de ses cours fédéraux, elle resplendissait de joie par le travail, les amis côtoyés, les liens créés. Tu ne l'entendis pas de cette oreille. Une jalousie morbide se fit jour en toi. Une affreuse torture morale commença. Je sais qu'elle coïncidait avec les progressions de ton état urémique.

Tu avais d'ailleurs des moments de repentir qui nous bouleversaient. Tu avais l'air d'un enfant puni. Tu devenais à nouveau le papa-tendresse, le papa-câlin, celui vers qui on avait envie de se blottir, de se confier.

Quand le mal reprenait du terrain, tu te blindais et luttant contre lui, tu nous agressais.

Alors recommençaient les nuits infernales où je t'entendais au premier étage. Tu volais à maman ses heures de sommeil indispensables. Sans elle, que serait devenu notre bateau ? Comme une véritable tempête, tu balayais tout sur ton passage. Tu déchirais les voiles de votre espoir commun. Tu fouettais les promesses passées. Tu entravais vos élans par les cordages tordus de ta jalousie. Tu jouais avec la santé de maman. Tu la forçais à écouter tes discours absurdes, tes questions insensées.

Jusqu'à ce que le petit matin te recueille épuisé et vaincu. Comme si la nuit avait sur toi une influence maléfique, tu paraissais poussé par d'invisibles démons. Tu t'acharnais à détruire, à piétiner, encore et encore.

Quelle force devait posséder maman pour résister à tant d'assauts, pour ne pas te battre ou te bâillonner !

Cela dura des semaines entières. Une nuit n'y tenant plus, entendant maman te supplier d'arrêter, je pénétrai dans votre chambre. Rien n'aurait pu m'en empêcher. Je n'avais même plus peur de toi, tant je te trouvais grotesque. Pour la première fois je te bravais mais je savais que j'avais raison. J'obtins que maman me suivit au premier étage et nous t'avions laissé avec ta rage froide. Tu fulminais et nous savions combien il était inutile de discuter dans ces moments-là.

Au matin, tu semblais complètement liquéfié, anéanti. Mais tant que les progrès de ton mal te harcelaient nous savions qu'il n'y aurait pas de répit.

Le médecin avait longuement averti maman. Avec toute la force de son amour, elle pensait que cela pouvait encore durer.

Il était difficile pour nous de tout accepter de ta part. Nous avions moins de compréhension et de patience qu'elle, qui t'excusait toujours.

Lorsque j'eus dix-neuf ans, tu m'administras ma dernière et mémorable raclée. Pour un baiser surpris au coin d'une rue, je faillis rester sur le carreau.

Après tes moments de violence, tu les regrettais toujours un peu, mais ta fierté t'empêchait de nous le dire. Quand deux jours plus tard je refis surface, tu étais le plus adorable des pères, comme si rien ne s'était passé.

Je trouvais l'échappatoire un peu facile et t'en tins rigueur. Tu semblas ne rien remarquer et une fois de plus, tu me désarmas. Quelques semaines plus tard, pour mon anniversaire, je vous demandai, à maman et à toi, de recevoir celui pour qui je recevais des corrections quasi-quotidiennes. Tu as réagi d'abord sèchement, puis, au moment où je t'ai annoncé que, malgré le souper de famille en mon honneur, je ne resterais pas, préférant passer ma soirée avec mon soldat en permission, tu lâchas une bombe devant tout le monde.

— Va le chercher ton «Coco» et amène-le, que l'on voie sa tête... On vous attend. Allez, fais vite.

J'étais littéralement stupéfaite. Quand j'annonçai à mon ami que mes parents et la famille l'attendaient, il fut comme frappé par la foudre. Deux condamnés à mort en route pour l'échafaud n'auraient pas eu plus triste mine.

La soirée se passa bien, mais tu le mis à l'épreuve d'un interrogatoire en ordre, sur son avenir, son travail à l'armée, ses ambitions, ne le laissant pas souffler une seconde. Un jeu qui t'amusait, me fit sourire au début, mais qui en cours de soirée m'agaçait de plus en plus.

Cette façon cynique de manipuler les gens à ta guise, de les pousser dans leurs derniers retranchements, d'ironiser. Tu devenais franchement odieux et insupportable.

Ce genre de situations te plaisaient beaucoup, ce qui te valut d'être quelquefois détesté par tes ennemis. Pourquoi chez toi ce continuel besoin de provoquer, d'exiger un comportement conforme à ta manière de voir? Comme si les autres n'avaient pas droit à une optique différente.

Il fallait être très fort pour te tenir tête et te prouver que nous pouvions avoir raison. Pourtant ceux qui y parvenaient, avaient droit à ton estime définitive.

Je me demandais pour quelle raison, tu n'avais jamais utilisé ton énergie à retrouver le lâche par qui ta paraplégie avait été provoquée et je t'en fis part. Te te refermais alors et demandais de changer de sujet. Avec les années, je compris que si le hasard mettait un jour cet être sur ton chemin, tu te vengerais. Tu ne m'en parlas pas vraiment, mais je le sentais et non seulement je t'approuvais, mais j'aurais voulu te rendre justice. Tu me connaissais trop bien et refusas de m'en parler.

Souvent je me suis demandé pour quelle raison tu voulais des voitures avec la conduite à droite. Je crois avoir découvert que tout simplement, tu voulais donner l'impression, aux non-initiés, que tu conduisais. Encore une de tes revanches sur la vie. Mais ce ne fut pas facile d'apprendre à conduire sur cette voiture et de passer les examens sur une voiture avec la conduite à gauche.

C'est toi qui nous appris à conduire à tous les trois.

Des leçons inoubliables!

Des leçons assaisonnées de larmes, ponctuées de

paires de claques avec le métronome de tes ordres en bruit de fond.

A quinze ans déjà, ma sœur était un véritable «Fangio», tant tes leçons étaient efficaces. Maman ne disposait pas d'assez de temps à ton goût, ce qui te décida à te faire piloter par Marcelle. Mais jamais, vous n'avez eu le moindre contrôle de police durant trois ans, une fière chance! Vous partiez faire de longues ballades, jusqu'au fond du Haut-Valais, sur des routes escarpées. Quel culot tu avais et quelle confiance aussi! Lorsqu'elle passa brillamment ses examens, ce fut le tour de François, puis le mien.

Je devais être moins douée qu'eux car les leçons furent nombreuses et souvent je rentrais avec la tête comme une courge!

La petite route grimpant à Champlan, me vit moultes fois m'arrêter en plein virage, sur ton ordre. La pente accusait une déclivité importante.

— Si tu recules d'un centimètre en démarrant, c'est la paire de claques! Fais très attention, tu débraies, tu accélères en même temps. Pas trop! Tu lâches le frein à main et tu démarres sans reculer!

Suspens! Gaz, accélération trop poussée, je mélange et lâche l'accélérateur au lieu du frein. Je câle, évidemment et prends ma raclée, une de plus.

Les parcages latéraux ne furent guère plus aisés au début. Par contre tu conservais la même tactique. J'en essayais vingt, trente, cinquante, jusquà ce que, surprise de ne pas récolter de claque, je compris que désormais, je savais parquer et conduire!

Ton activité était incessante. Plus la vie passait, plus tu trouvais de raisons pour la dévorer à vive allure. Tant de choses à rattraper, disais-tu. Une sorte de boulimie que rien ne satisfaisait. Ton engagement était total et

199

entraînait automatiquement celui de maman et parfois le nôtre. Tu ne nous demandais pas notre avis, cela allait de soi. On ne se dérobe pas à un devoir envers les autres, comme on ne se dérobe pas à la religion.

Là, nos discussions devenaient parfois difficiles et abruptes. On nous a toujours appris et répété que la religion, la foi, ne se discute pas. Elle s'accepte en bloc avec les mystères, les incompréhensions et la croyance.

Tu assistais à nos remises en question non sans réaction violente, sachant pourtant que lentement nous nous défaisions de ton emprise sur certaines choses.

Nous tentions de rectifier des aberrations trop profondément imprimées dans notre subconscient depuis notre petite enfance. Nous refusions cette foi aveugle après avoir vu tant de gens injustement atteints dans leur chair. Après avoir vu et vécu une partie de ta vie avec maman. Après avoir assisté impuissants à tes innombrables moments de douleurs intenses. Après t'avoir retrouvé complètement épuisé à la suite de tes combats face à tes crises, nous ne parvenions plus à dire « que ta volonté soit faite ». Personnellement, durant une longue période, je m'étais interdit le « pater », je me sentais blasphématoire de le prononcer, car je ne pouvais plus être sincère.

Je me demandais comment toi, combattant, agressif, jamais résigné, tu ne t'étais jamais révolté?

Un jour cependant, tu m'en donnas l'explication:

« Si cet accident n'avait pas eu lieu, impulsif et fonceur comme je l'étais, j'aurais certainement fait d'énormes imbécillités dans ma vie. C'est un moindre mal, un frein à mes élans. Sûrement qu'il savait ce qu'il faisait la-haut! ».

J'en avais le souffle coupé! Une logique aussi implacable et simpliste de ta part me dépassait...

Cela n'avait rien à voir avec la résignation.

Avec le temps tu devenais plus philosophe et tu acceptais ton état. Mieux, tu le vivais! Au maximum de tes possibilités et au risque de nous écorcher.

En l'espace de quatre ans, tous les trois nous nous sommes mariés.

Tu baissais de l'aile, insensiblement depuis notre départ. Toi, l'intrépide, tu commençais à trouver les combats trop durs.

Je comprenais aussi, avec les années que, malgré les apparences, nous avions une somme incroyable de rancune cachée, pour toutes les choses que nous n'avions jamais osé dire, pour toutes les choses imposées que nous aurions voulu refuser. Tout semblait si embrouillé. Ton passé, ton enfance, les tabous religieux et sociaux, notre éducation, notre peur de te perdre, nos espoirs insensés, cette terreur que nous inspiraient tes colères et tes coups, tes cris injustes, tes repentirs désarmants, la douleur physique qui parfois te tordait le visage tel un masque, notre angoisse quand tu défaisais ta courroie de cuir, nos envies de fuir et cette force qui nous clouait sur place malgré nous. Nous ne voulions pas être lâches, jamais.

Tu relevas à nouveau le défi contre la médecine quand vint l'heure de tes petits-enfants. Trois filles, puis quatre garçons. Tu ne connaîtras pas ta quatrième petite-fille aux yeux bridés. Comme tu l'aurais aimée... Ni ta cinquième toute blonde.

Mais dès l'arrivée de la nouvelle génération, tu nous donnas l'impression d'amorcer un nouveau virage, une nouvelle façon de vivre. Plus paisible, plus riche de douceurs. Quelques années de calme retrouvé pour maman.

Le mal prend du terrain, mais tu le traites par

l'indifférence désormais. Nous savons pourtant que la douleur deviendra toujours plus intense.

Tu te donnes à fond à tes handicapés. Frappant à toutes les portes, tu fais tomber un à un les obstacles pour obtenir les fonds et les permissions pour la création d'un centre de réadaptation professionnelle pour eux.

Tu n'es pas devenu un agneau, non! Mais tu muselles tes fureurs.

Et avec les petits, c'est le monde à l'envers. Nous devrions tout leur laisser faire.

Tu as toujours l'excuse de vouloir en profiter avant qu'il ne soit trop tard!

Leur nombre augmente, les années passent prolongeant ton sursis, et tu te fatigues plus vite.

Lorsqu'au mois d'août 1966, tu nous demandes de venir avec les enfants, pour plusieurs jours, je comprends que quelque chose ne tourne plus rond. Une appréhension, une peur qu'il me sera difficile de cacher en arrivant à la maison.

Tu souris, tu es gai, tu plaisantes, mais je découvre derrière cette façade des failles auparavant imperceptibles.

Je revois cet après-midi éclatant où tu nous convias tous dans le jardin pour prendre des photos.

Mon appréhension devint certitude lorsque tu dis:

— Je veux un dernier souvenir avec mes deux petits-fils, Pierre-Yves et Olivier, mettez-les sur mes genoux, là.

— Ne dis pas de bêtises, tu en feras encore beaucoup d'autres!

— Non, celle-là sera vraiment la dernière. Je pars à Berne sans illusion. Autant que vous le sachiez! Cessez de me prendre pour un inconscient. Ou alors, vous êtes naïfs... Il serait temps de regarder la vérité en face, je ne reviendrai pas vivant ou pas pour longtemps. Elle finit pas avoir ma peau, cette chienne de vie! Et, entre nous, je n'ai plus envie de me battre. Envie n'est pas le mot juste, disons que je ne me sens plus de taille, l'adversaire est trop fort.

Nous voulions intervenir, mais tes dernières phrases commandaient le silence et le respect. Une immobilité terrible habita le jardin, jusqu'aux oiseaux qui semblaient se taire. Totalement étranger à notre douleur, le plus petit à peine âgé de 11 mois, jasait dans ton oreille et du bout de son petit doigt, il te pesa sur le nez. Tu répondis immédiatement à son jeu par un «pouet-pouet» retentissant. Essuyant les larmes qui embuaient nos yeux, nous nous sommes mis à l'unisson de vos jeux.

Quand le lendemain nous t'avons installé dans l'auto, nous te sentions désemparé pour la première fois et ton pâle sourire cachait bien mal ton désarroi. Malgré cela tu restais crâne et tu narguais encore la mort.

— Qu'est-ce que c'est que ces mines d'enterrements? Sapristi, la vie est belle, regardez les petits, c'est eux qui ont raison!

Ton regard parcourait lentement le jardin, la maison, les vignes sur le coteau, nous, et ce regard devint caresse, douceur, effleurement. Déjà tu étais un autre.

Maman ne se départissait pas de sa patience et de sa tendresse. Afin d'atténuer ton sentiment de détresse, elle emportait dans tes bagages des petits détails pouvant te donner là-bas, un sentiment de réconfort. Jusqu'à ton petit coussin de plume que tu aimais rouler en boule sous ta nuque et sans lequel tu n'aurais pas trouvé ton vrai sommeil. Quand tu fus parti, maman te conduisant, je me mis à errer dans la grande maison. Il faisait chaud et je frissonnais.

Je voulais être seule avec tous les objets qui t'étaient familiers et indispensables. J'effleurais du bout des doigts ton grand lit blanc, ta machine à écrire, ta table pivotante. Dehors les enfants criaient, tout à leur insouciance, surveillés par Christine, la plus grande, à peine quatre ans, mais déjà tellement maternelle et responsable! Aucune inquiétude pour eux. Je me replongeai dans cette atmosphère quasi mystique mais je ressentais un grand vide, un trou, une nuit dense. Je rôdais comme un animal à la recherche d'odeurs familières, de repaires, de sensations olfactives ou tactiles.

Je pris en main le coupe-papier que tant de fois tu avais manipulé. Tiens, maman l'avait oublié, il allait te manquer. Elle n'oublie jamais rien à l'ordinaire, mais ce jour n'était pas ordinaire, justement. Je saisis la veste de ton pyjama rayé bleu, que maman avait plié sous ton duvet, comme un talisman, et j'y enfouis mon visage. Je reçus ton odeur comme un cadeau et laissai échapper un sanglot. Personne ne pouvait me voir. Ce tête-à-tête me faisait du bien et pourtant me déchirait.

D'un seul coup, le silence avait pris possession de la maison, presque insoutenable.

A ce moment précis, j'aurais voulu revenir en arrière, même être responsable d'une de tes grandes colères. T'entendre crier encore!

Je mesurais l'absurdité de cette drôle de vie, qui sans cesse nous repousse en arrière ou nous projette en avant, sans nous apprendre le moment présent. Les moments perdus dans la folie des jours. Insaisissables, bien trop souvent ignorés, qui se transforment en regrets de ne pas avoir ou de trop avoir. Fragilité...

Je ne parvenais pas à me faire à l'idée que bientôt tu t'en irais. Je serai bientôt orpheline et toute petite. Au diable les années, même si j'ai bientôt vingt-cinq ans, même si j'ai déjà donné la vie trois fois, j'ai froid de ton absence, j'ai peur de ton vrai départ.

Je me suis assise sur ta chaise roulante, sans y prendre garde, et pour me redonner du courage, ou est-ce par lâcheté, j'ai tenté de t'accabler de tous tes défauts, de te faire tous les reproches trop longtemps contenus. C'était d'un grotesque!

Je me mis à sangloter dans ton pyjama, serré sur mon cœur, en te traitant de brute stupide, de cœur tendre caché sous une carapace, que j'avais tout de même fini par découvrir. Je n'étais à ce moment-là qu'un bébé chialeur mais cela me faisait du bien.

Je ressortis après un moment, regonflée, et me mêlai aux ébats des enfants, gosse parmi les gosses. Mais est-ce un mal? La vie continuait indifférente à nos états d'âmes. Nous sommes repartis à Zurich le lendemain.

Chaque semaine je me rendais à Berne plusieurs fois. Je te trouvais épuisé par ces dialyses, mais calme et serein. Maman m'avoua que tu te démenais encore trop. Tu voulais finir de mettre en place les structures pour le Centre d'handicapés et tu passais des heures au téléphone dans le couloir, tordu de douleurs sur ta chaise. Le téléphone t'avait été refusé pour éviter que tu ne te fatigues trop... Voyant ta façon de faire, le docteur finit par te donner un appareil dans ta chambre.

Le 8 septembre, jour du premier anniversaire d'Olivier, nous sommes venus avec lui. J'avais entrouvert la grande porte de ta chambre et mis mon bonhomme par terre en ne lui donnant qu'un doigt. Tu l'appelas et celui-ci, te regardant, se mit à rire et avança crânement en me lâchant, jusqu'à ton lit, très fier. Nous retenions notre souffle, c'était la première fois qu'il se lançait et ce fut vers toi!

Comme tu étais heureux, papa, plus que nous je crois. Tu m'envoyas sur le champ quérir un copieux goûter que tu partageas avec nous, malgré ton régime strict. Tu ne manquas pas de nous dire une fois de plus : « mourir pour mourir, autant que ce soit en ayant bien mangé... ».

Au cours des semaines suivantes, tu nous inquiétas par ton grand calme et ton teint blafard. Le médecin pourtant nous parla de progrès, de baisse du taux d'urée réjouissante. Si tout continuait ainsi, tu pourrais bientôt rentrer à la maison.

Toi tu souriais, incrédule. Maman elle, avait de l'espoir pour deux. Tu la tempérais :

— Il est gentil ce professeur, mais un peu fada! Je la connais ma mécanique, mieux que personne. Seulement, il n'est pas question que je meure ici. Je veux retourner dans mon coin de pays. Ne vous y trompez pas, c'est le mieux avant la fin! Connu! Avec les dialyses, je suis épuisé mais je souffre moins, c'est déjà ça!

Vers la mi-novembre, tu fus autorisé à rentrer au bercail, mais on te recommanda la prudence.

— Vous n'hésiterez pas à revenir d'urgence, en hélicoptère, si quoi que ce soit devait arriver. Vous n'êtes pas à l'abri avec votre angine de poitrine. Et le régime, ne négligez pas le régime!

Toutes ces recommandations t'étaient désormais inutiles. Tu brûlerais tes dernières chandelles comme bon te semblerait. Quand tu fus de nouveau dans ton cadre familial, tu semblas plus rassuré. Le sursis, pourtant aussi ténu qu'un fil ne t'effrayait plus. On aurait dit que tu cherchais à rattraper le temps perdu. Maman recevait tes gentillesses, tes douceurs, avec une infinie attention, mais elle n'était pas dupe. Elle assistait en silence à ton déclin.

Quel calvaire pour tous. Mais toi tu souffrais dans ta chair de plus en plus. Jamais semaine ne nous parut plus courte. Nous dégustions chaque minute de paix. Tu te voulais disponible pour chacun. Par moment, tu mettais ta main sur le côté gauche et tu te tordais de douleur, en cherchant ton souffle.

Terrible sentiment d'impuissance devant les minutes qui s'égrènent, appelant l'issue fatale.

Le dimanche je restai avec toi, tandis que les autres se rendaient à la messe. Je lisais à tes côtés. Tu semblais dormir. Tout à coup tu changeas de couleur. De transparent, tu passais au vert. La bouche entrouverte tu tendis la main dans ma direction. Je me précipitai vers toi et te tenant la main, je t'épongeai le front.

— Que dois-je faire, que puis-je faire pour t'aider?

Un râle, un demi-souffle esquissé à travers un bruit de borborygme, tu étouffais et je ne pouvais rien! J'entendais monter cette eau de tes poumons et te voler le peu d'air que tu tentais de trouver, les yeux révulsés.

Tu parvins à murmurer:

— Aide-moi... respirer...

— Que faire? J'appelle le médecin...

— Non, attends... Ta main! Ne me lâche pas!

Lentement la crise passa et tu retrouvais un peu d'air, tu reprenais des couleurs, tes yeux me regardèrent, brouillés et implorants.

207

— Ne dis rien à maman, je t'en prie.

— Il le faudra bien pourtant!

— Non, cela ne sert plus à rien, la machine câle, j'approche de la fin. Promets je t'en prie.

— Comme tu voudras!

Journée d'angoisse tellement évidente dans tes yeux même si nul ne dit rien. Maman pressent quelque chose, mais elle ne pose pas de questions!

Le soir, une nouvelle crise se manifesta devant maman. Vision presque insoutenable! Nous avons appelé le médecin qui arriva très vite.

Après quelques minutes, il voulut demander un hélicoptère et te faire transporter à Berne, ce que tu refusas. La seule concession que tu fis, fut d'entrer à l'hôpital de la ville, afin de mourir ici, diras-tu...

Une semaine encore, affreusement longue celle-la, où se succédèrent les crises, les piqûres, les sondes dans la trachée, les moments d'inconscience où tu semblais pourtant nous entendre, les moments-tests que tu pratiquais pour savoir comment évoluait ton mal...

Tu montrais le plateau sur la table:

— ...ils sont beaux... ces abricots.

— Oui, ils sont beaux mais ce sont des pruneaux.

Tu ne parvenais plus à coordonner pensées et paroles par instants et cela te tourmentait. Tout à coup, tu t'assis, repoussas tes couvertures et te lanças hors de ton lit, dédaignant la chaise roulante:

— Je suis pressé. Laissez-moi passer...

Pourquoi me regardez-vous ainsi. Allons venez on va se promener. Les filles poussez le lit, on va sortir. Plus fort, il faut traverser la paroi. Après on sera libre! Allez, poussez!

Nouvel épuisement, nouveau KO. Nous n'étions que des marionnettes impuissantes face à ton drame.

Pour toi, les jours et les nuits s'enchevêtraient dans le carrousel de tes pensées.

Il fallait laisser passer le temps. Nous parlions à voix basse. Maman très lasse écrivait sur son bloc, des idées en vrac, pour ne pas perdre le fil, pour ne rien oublier quand tout aurait basculé.

Toi, tout à coup:

— Qu'écris-tu Mina? L'avis mortuaire?

Elle te regarda, à bout, décontenancée. Ce devait être ta dernière façon de faire de l'humour! A tour de rôle, nous étions près de toi. Tu finissais par nous confondre.

Vers la fin, ton ami Robert arriva précipitamment:

— Marcel, tu m'entends, je viens t'apporter un message.

— Qui? Robert. Tu as des nouvelles?

— Oui Marcel, l'Etat vient de donner son accord au démarrage du foyer pour handicapés. Cela devait s'appeler Foyer St Camille, mais le Comité s'est réuni cet après-midi, et nous avons décidé de l'appeler Foyer St Hubert, car c'est toi qui en a eu l'idée le premier. C'est toi qui t'es battu pour surmonter les premiers obstacles. C'est toi le cerveau et tu avais raison d'y croire. Tu es content?

— Si je suis content... C'est merveilleux! Maintenant je vais pouvoir partir tranquille. Déjà mon corps est un peu détaché; je souffre moins, je vois déjà que c'est beau.

Durant les derniers jours, tes veines éclataient, il ne fut plus possible de te soulager. Mais ce qui me révoltait lors de tes crises de plus en plus rapprochées, c'était ces sondes que l'on t'enfonçait dans la trachée afin d'en retirer du liquide pour faciliter ta respiration,

209

du moins ce qui t'en restait. Tu tentais de faire comprendre à l'infirmière que tu n'en voulais plus, qu'on te laisse enfin mourir en paix! Maman ne te quittait pratiquement jamais et dormait près de toi dans un fauteuil.

Tu prononçais des phrases incohérentes et l'instant d'après tu secouais la tête pour marquer ton erreur.

Tu t'en rendais compte et cela ajoutait encore à ton calvaire.

Les moments comateux se prolongeaient davantage mais à ton réveil tu parvenais à parler un peu. Puis, à nouveau, les assauts reprenaient et te replongeaient dans le tourbillon de ton mal.

Le docteur passait souvent et à un moment, tu lui demandas :

— Encore combien de temps? C'est si long!

— Je ne puis vous répondre, votre cœur est trop solide. Nous tentons de vous diminuer les douleurs mais cela devient problématique. On ne parvient plus à vous piquer. Il reste la sonde...

— Justement, la sonde, pourquoi? Ma trachée me fait mal. Arrêtez ça, je vous en prie... je veux mourir dignement!

A ce moment-là, j'étais seule avec lui. Papa replongea dans le coma. Je me précipitai dans le corridor et attrapai le docteur. J'étais comme folle. Je ne pouvais plus supporter cette torture qui lui était imposée.

— Docteur, faites quelque chose, c'est inhumain, vous l'avez vu...

— Calmez-vous, vous savez bien que je ne peux rien faire.

— Même un chien, on ne le laisse pas souffrir à ce point, on l'abat par pitié.

— Je vous en prie, reprenez-vous! Savez-vous que vous faites allusion à l'euthanasie?

— Je sais, mais que pouvez-vous encore? Rien, sinon prolonger son agonie de quelques heures, comme vous le faites depuis une semaine? Arrêtez au moins avec cette sonde qui le blesse!

— Oui, je crois que nous devons arrêter. Il l'a lui-même demandé. Le grand problème c'est son cœur, beaucoup trop robuste!

— Ne croyez-vous pas que ces vingt-trois ans d'immobilité lui ont déjà fait mériter un monde meilleur? Tout ce qu'il a pu faire ou dire ne justifie pas une telle dose de souffrances. Aidez-le à mourir en douceur, je vous en prie.

— Vous savez que je ne peux pas l'aider, comme vous dites; vous devriez vous reposer un peu. Quant à votre mère, je ne sais où elle puise sa force...

Je revins près de mon père au moment où son ami André entra.

Je fondis en larmes. Il me prit par les épaules et me conseilla de rentrer un moment me reposer. Il resterait près de lui. J'embrassai alors mon père avec tendresse en lui caressant les cheveux:

— Je reviens bientôt, ne t'en fais pas!

Je sortis et descendis à pied le chemin des amandiers qu'il aimait tant. De toute façon, j'avais le temps puisque la mort ne semblait pas vouloir de lui maintenant.

J'étais un automate qui pleurait. Je ne voyais plus ma route, mais je la connaissais par cœur. Puis, insensiblement je me calmai.

Quand je parvins à la maison, ma sœur et mon frère m'attendaient. Maman venait de reprendre le chemin inverse.

Comme des somnanbules, nous faisions des gestes sans en connaître le pourquoi. L'un d'eux se hasarda:

— Alors?

— Toujours pareil. Le médecin dit que son cœur est trop solide.

— Que tout ça finisse puisqu'on ne peut plus rien.

A nouveau le silence trop pesant et les mots pour meubler le temps, dérisoire!

Le café que finalement on ne boira pas, la cuillère que l'on tourne inlassablement alors qu'il n'y a pas de sucre. Et les somnanbules marchent, s'embrassent en se croisant.

— Si l'on enlevait le lit d'hôpital?

Ma sœur éclata en sanglot:

— C'est trop vite, ne touchez à rien. Si... si...

Elle ne put continuer et s'effondra sur le sofa. Elle savait aussi bien que nous que jamais plus il ne reviendrait mais refusait l'évidence. Mon frère tenta de la calmer.

Je me sentais vidée, « déconstruite », en miettes.

Tous trois nous devenions à nouveau tout petits. Nous avions conscience de la fragilité du moment, du délai très bref. Ensuite le cordon ombilical allait être coupé entre toi et nous.

Tu nous as si fortement marqués, qu'il nous sera difficile de marcher sans trébucher, une fois notre guide disparu. A chaque carrefour de la vie nous aurons de la peine à décider par nous-même.

Ta personnalité si forte, ta volonté acharnée de vaincre et de dominer, nous rassuraient. Il faudra changer le cours de ce qui était devenu « conditionnement ». Nous avons chacun notre bagage et devrons voyager seuls bientôt.

Quand le téléphone a troué le silence, nous savions.

Nous avons répondu : il ne souffre plus, il est libéré!
Nous avons pleuré, bien sûr, mais des larmes douces
comme une ondée. Alors, nous avons enlevé, avant
que maman ne revienne, le grand lit d'hôpital et
modifié un peu la disposition des meubles, pour que la
vie continue, comme il l'aurait voulu.

Durant les trois jours qui suivirent, selon la cou-
tume, ton cercueil fut exposé dans la chambre et les
amis, les voisins, tous ont défilé.

Je ne pleurais plus. Je te trouvais beau, rajeuni et
serein. Je ne pouvais me résoudre à te quitter des
yeux.

Certaines personnes ont dû me croire folle. Je les
accueillais à la porte en souriant :

— Venez le voir, il est beau. Il semble heureux et
sourit.

Les automates que nous étions devenus, dirigeaient
tout le monde sans trace d'effondrement. Les gens
pouvaient-ils comprendre que nous étions soulagés de
te voir enfin libéré de tes chaînes ? Sûrement pas!

Maman se montrait vaillante et tenait comme une
reine. Par moments, elle se retirait au premier pour
pleurer mais ne le montrait pas.

Puis vint le jour de tes obsèques. Un jour froid de fin
novembre, où le vent et la neige nous giflaient. La
grande cathédrale devint trop petite pour contenir
toute la foule accourue du fond de la Suisse et de
l'étranger. Les allées latérales débordaient, les bancs
étaient pleins. Tu avais demandé d'éviter les fleurs mais
de penser au foyer des handicapés. Tu fus écouté
au-delà de toute espérance.

Moment bouleversant de l'offertoire où un long
cortège grinçant de chaises roulantes est remonté l'allée
centrale et, autour du catafalque, a formé une ronde

213

d'amitié poignante. Tous tes amis étaient là: Victor, Jean, Arthur, Charly, les deux frères et sœurs, Charlot, Augusta et beaucoup d'autres encore. Puis ils t'ont fait une escorte de gloire, tous très émus et très fiers à la fois.

Alors les autres, les bien-portants, ont compris qu'ils devaient suivre ce courant d'amitié et d'amour.

Le seul moment où j'ai un peu flanché, je l'ai connu lorsque tout ce monde t'accompagna au cimetière.

Je ne voyais plus personne alors que nous donnions le bras à maman. Quand les hommes habillés de noir descendirent ton cercueil en terre et que le curé jeta la première pelletée de terre, j'étais attirée par ce vide. Disparaître dans ce trou avec père...

Quelqu'un me saisit aux épaules et me retint, sinon je basculais!

Puis je me suis bouché les oreilles pour ne pas entendre la terre t'écraser par petits coups secs. Je me refusais à croire que tu étais là-dessous et que tu te laissais faire. Alors une dernière fois, je t'ai appelé dans un cri.

Adieu Père, je t'offre cet ultime cri d'amour.

C'est toi, à qui la vie refusa tant de choses
Qui doucement m'appris à regarder les roses
A aimer les épreuves, à conserver l'espoir.
Toi, la vivante preuve, qu'à force de vouloir
Et de jouer serré, on met échec et mat
La douleur, le passé, les dangereux ébats
De la noire faucille. Tu t'es battu tout seul
Depuis derrière tes grilles tu rompis le linceul
Qui déjà s'étendait, terrifiant, pas très loin...
Ta souffrance te figeait, mais tu avais besoin
De renaître à la vie, de retrouver le vent

Le bonheur et l'envie et d'aimer tendrement.
Ta prison était pire qu'une prison de pierres!
Tel un sombre vampire le mal à sa manière
Lentement te vidait, mais tu fus le plus fort
Personne n'y croyait, tout le monde avait tort!
Comme un nouveau printemps ton corps se réveillait
En défiant le temps cette sève qui montait
Te rendait différent. La vie t'avait repris
Trop de choses, de temps et de projets permis.
Tu allais te venger, relever le défi!
Enfin tu as gagné, repoussé l'ennemi.
Ta patience infinie, ta douce ténacité
Ont conjuré l'ennui et crié ta bonté!
Comme un précieux métal après le raffinage
Après le coup fatal tu es pareil au sage
Appréciant les beautés d'un coucher de soleil
Du vent, de la rosée, de la couleur vermeille
D'une plage dorée ou d'une symphonie
Qui te prend tout entier. Tu goûtes l'accalmie
Du souffle renaissant, chaque nuit qui se lève
T'étreint un peu le cœur. Tu as mal et puis... rien!
Il te manque un bonheur mais tu le caches bien
Et le petit matin fleurant bon la rosée
Te reprend par la main pour mieux te rassurer.
Toi, tout au long du jour, tu tiendras le flambeau
Et tu vas tour à tour alléger un fardeau
Consoler ou aimer celui qui vient vers toi.
Toi qui sus tout donner et qui gardas la Foi
Tu m'apprends que souffrir est parfois un honneur
Et qu'ensuite mourir devient une grandeur!

* * *

Morges septembre 1975 – 10 octobre 1975
Prayon janvier 1983 – (2 au 30)

215

REMERCIEMENTS

L'auteur et l'éditeur
expriment leur gratitude au
Conseil de la Culture de l'Instruction publique
du Canton du Valais,
pour son soutien à la publication
de cet ouvrage

DU MÊME AUTEUR

Manuscrits en voie d'achèvement

Itinéraire d'un cri, récit
Les enfants de l'impossible, roman